JN060524

本書の執筆中、わたしの癇癪に耐えてくれた
デイビッド・リチャードソン、ジャスティン・リチャーズ、
そしてジャック・ファローに。
ボローニャでお世話になった
ルース・オールタイムズ、キャサリン・スメールズに。
この原稿を書きおえたときに生まれた
ルイス・オールコックに。

以下の方々にも感謝の念を——
ジェレミー・ブレットについての鋭い質問を
わたしに浴びせかけたフィリップ・アーダ。
ジェレミー・ブレットについての鋭い質問を
わたしに浴びせかけなかった
ランカスター大学児童文学修士課程の学生諸君。

YOUNG SHERLOCK HOLMES: BLACK ICE
by
Andrew Lane

The original edition is published
by
Macmillan Children's Books, London

Japanese translation published by arrangement with
Macmillan Children's Books, a division of Macmillan
Publishers Ltd. through The English Agency (Japan) Ltd.

ヤング・シャーロック・ホームズ3

雪の罠（わな）

編集部より

本作品は一八六〇年代後半の世界を舞台にしたフィクションです。一部の描写に現在の観念からすると不快な思いをされる方がいらっしゃるかもしれませんが、当時の風俗や社会思想を背景にした作品であることをご理解ください。

⚜ 1 ⚜

日の光が水面に反射して、短剣のように目を突き刺してくる。まぶしさを少しでもやわらげるために、シャーロックは何度も目をしばたたいたり、まぶたを半分閉じたりしていなければならなかった。

ボートは湖のまんなかで波にゆらゆらと揺られている。湖は草深い丘に囲まれていて、まるで緑色のすり鉢の底にいるようだ。その上に、雲ひとつない青い空がふたのようにおおいかぶさっている。

シャーロックはボートの前の席に後ろ向きにすわっていた。エイミアス・クロウは後ろの席にすわっていて、その重みでボートは前のほうが少し浮きあがっている。

クロウは手に竹の釣り竿を持っている。釣り竿の先端には細い糸が結びつけられ、水面には数枚の羽根をたばねたものが浮かんでいる。それは毛鉤と呼ばれる作り物のエサで、腹をすかせた魚の目には虫のように見えるらしい。

ふたりのあいだには、編みかごが置かれているが、なかにはまだなにもはいっていない。

「どうして釣り竿を一本しか持ってこなかったのです」と、シャーロックは不満げに聞いた。

クロウは毛鉤から目をはなさず穏やかな口調で答えた。

「われわれは釣りを楽しみにきたんじゃない。そのように見えるかもしれんが、実際はちがう。これも人生の処し方についてのレッスンのひとつなんだよ」

「やっぱり……」

「と同時に、わたしとバージニアの今夜の食事のためでもある。一石二鳥ってわけだ」

「それで、ぼくはただここにすわって、先生が夕食用のおかずを釣るのをぼうっと見てるんですか」

クロウはほほえんだ。

「そういうことになるかもしれないね」

「時間はどのくらいかかるんです」

「場合による」

「どういうことでしょう」

「わたしの釣りの腕前しだいってことだよ」

「釣りの腕前？　釣りの腕前っていうと？」

クロウ先生の手のなかで踊らされていることはわかっているが、質問をやめることはできない。

クロウは質問には答えずに、慣れた手つきで真鍮のリールの取っ手をまわし、釣り糸を巻きとった。毛鉤が水面から引きあげられ、水滴がきらきら輝きながら湖面に落ちる。釣り竿が大きく後ろに引かれ、釣り糸が頭上に舞う。毛鉤は空中でぼやけて染みのように見える。釣り竿がまた前に突きだされると、毛鉤は青い空に8の字を描き、さっきとはちがうところに落ちて、小さな水しぶきがあがる。

クロウは水面に漂う毛鉤を見ながらほほえんだ。

「少しでも釣りの心得のある者ならだれでも知っていることだが、魚は温度や季節によってちがう行動をとる。たとえば、春の日の朝早くだと、魚はまったく食いついてこない。太陽が低すぎて、水面に反射するだけなので、水温はあまりあがらない。それで、体の動きが鈍くなるんだ。だが、昼前から昼すぎになると、状況は一変する。真上から日がさすので、水温はあがり、魚の動きは活発になる。だから、食いつきもよくなる。もちろん風が吹いたら、水面近くのあたたかい水がよそに追いやられたり、魚のエサになる虫が流されたりするから、その点にも注意を払う必要がある。水が冷たいところや、エサがないところで、釣りはできない。とにかく、状況は時々刻々と変わっていく」

「メモをとったほうがいいでしょうか」

「きみの首の上にはなにがあるんだね。それを使わない手はない。この程度のことなら覚えられるはずだ。いいかね。冬になると、水温がさがる。場合によっては凍ることもある。すると、魚はほとんど動かなくなる。たいていの魚は秋のあいだにたくわえておいた栄養だけで命をつないでいる。だから、冬は釣りには適していない。さて、これまで学んだことをまとめると、どういうことになるかね」

シャーロックは大急ぎで考えをまとめた。

「ええっと……春はお昼前後に釣りをし、冬は市場に行って、行商人から魚を買ったほうがいい」

クロウは笑った。

「うまい！　でも、問題はそういった結論の裏になにがあるかだ。その根拠はなにかだ」

シャーロックは少し考えてから答えた。

「大事なのは水温です。水温が変わる原因は、気温と日がさす角度です。太陽がどこにあり、どこの水があたたかいかを考えたら、魚がいるところは簡単にわかります」

「よろしい。そのとおりだ」

毛鉤がぴくっと動き、クロウは身を乗りだした。灰色の太い眉の下にある青緑色の目はまばたきひとつしない。

「どんな魚にも好みの水温がある。腕のいい釣り人は、一年のどの時期のどの時間帯に最適の水温になるかを知っていて、どんな魚がいつどこにいるかを正確に予測することができる」

「とても興味深い話です。でも、ぼくは釣りを趣味にしようとは思いません。舟の上にすわって、なにかが起こるのをじっと待っているだけなんだから。そんな暇があったら、本を読んでいるほうがましです」

「要するにわたしが言いたいのは、なにかを手にいれたかったら、論理だてて考える必要があるということだ。獲物の習性を知り、その習性が周囲の環境や状況に応じてどう変化するかを知ること。これは魚だけでなく、人間にもあてはまる。人間が好む場所も時間によって変わってくる。空が晴れているかどうかとか、腹がへっているかどうかといった条件によっても、同様に変わってくる。獲物の習性を知っていれば、つぎにどこに姿をあらわすかを予測することができる。そこでようやく毛鉤の出番になるわけだ。羽根の束が水面にぷかぷか浮かんでいるのを見たら、獲物は食いつかずにはいられなくなる」

「わかりました。いい勉強になりました。じゃ、そろそろ引きあげましょうか」

「いいや、まだだ。夕食のおかずが釣れていない」

クロウの視線はなにかをさがしているみたいに湖面をさまよっている。

「獲物の習性が理解できたら、こんどはその居場所を知る手がかりを見つけださなきゃならない。相手は警戒し、隠れている。自分からのこのこと出てきたりしない。でも、連中の居場所を示す手がかりはかならずどこかにある。それを見つけだせばいい」

クロウはボートから三メートルほど先の水面にあごをしゃくった。

「あそこだ。あそこになにが見える？」

「水、ですか？」

「ほかには？」

シャーロックはまぶしい光に目を細めて、クロウの視線の先にあるものに目をこらした。と、一瞬、水面に小さなくぼみができた。波紋が外側にひろがるのではなく、内側に縮まっていくように見える。それから水面はすぐまた元にもどったが、一度それに気づくと、あとは目をこらさなくてもわかった。水面に次々にいくつものくぼみができては消えていく。

「なんですか、あれは」

「魚が水面に口を近づけたときに起きる現象だ。魚はそこで虫が流れてくるのを待っていて、見つけたら、それを水ごと飲みこむ。そのときに、水面にくぼみのようなものができるんだ。それを見つけたら、そこに魚がいることがわかる。この場合はマスだ」

クロウは釣り糸を引いて、湖面に毛鉤をすべらせ、マスがいるはずのところに移動させた。一瞬の間のあと、ふいに毛鉤が水のなかに引きこまれた。と同時にすばやくリールの取っ手をまわすと、銀色の水しぶきがあがった。毛鉤に隠されていた釣り針には、茶色の斑点のある魚の口が引っかかっている。釣り竿をさらにあげると、魚は身をくねらせながらボートのなかに飛びこんできた。

クロウは片手で釣り竿を握ったまま、もう一方の手で座席の下から木の棒をとりだした。それで一撃を加えると、魚はすぐにおとなしくなった。

クロウは魚の口から釣り針をはずしながら言った。

「では、きょうのレッスンのおさらいをしよう。獲物の習性や好みを知り、居場所を示す兆候をとらえたら、狩りが成功する確率は飛躍的にあがる」

言わんとすることはわかるが、それが自分にどのように応用できるかはわからない。

「でも、ぼくが将来狩りをすることはあるんでしょうか。先生がアメリカでそういう仕事をしていたことは知っています。でも、ぼくがそのような仕事をするようになるとは思えません。銀行員とかのほうがまだ可能性は高いと思います」

言いながら、気持ちが沈んでいくのがわかった。将来いちばんしたくないのは退屈な事務の仕事だ。でも、ほかにどんな仕事ができるというのか。

クロウは魚を編みかごに投げいれて、ふたを閉じた。

「だれにでも、ひとをさがさなきゃならないときはある。事業を起こすための資金を提供してくれる者とか、金を借りて逃げた者とか。あるいは、生涯の伴侶とか。だれかをさがしたり、追いかけたりしなきゃならなくなる機会はいくらでもある。どんなときでも基本は同じだ。これまでの経緯からすると、きみがふたたび殺人事件や犯罪者に出くわす可能性は高い」

クロウが釣り竿を後ろに引くと、毛鉤は頭上で8の字を描き、ふたたび水面に落ちた。

「要するに、シカやイノシシや魚のたぐいはどこにでもいるってことだよ」

それから一時間、クロウはなかば目を閉じ、黙って釣りをつづけた。

魚がさらに二匹釣りあげられ、編みかごに投げいれられると、クロウはようやく釣り竿を置いて、のびをした。

「さて、そろそろもどることにしようか。それとも、きみも釣りをしてみるかね」

「してもいいですけど、ぼくが釣った魚はどうすればいいんです。シェリンフォードおじさんの家には料理人がいます。朝も昼も晩も、時間になると、テーブルに食事がならんでいます。ぼくが食事のことを心配する必要はありません」

　クロウはほほえんだ。

「料理をつくるには、だれかが食材を調達してこなければならない。そのうちにつぎの食事の心配をしなければならないときが来るかもしれんぞ。今回は豪勢なマス料理でェグランタインさんを驚かせてもいい」

「あのひとのベッドのなかにこっそり魚をいれておくというのは？」

　クロウは笑った。

「おもしろそうだ。でも、やめておいたほうがいいだろう」

　クロウはオールをとって、ボートをこぎはじめた。岸に着くと、地面から突きでている杭にボートをつないで、ふたりは急な坂道をのぼりはじめた。

　クロウは編みかごを持って先を歩いている。大きな体のわりには、しなやかな身のこなしで、足音はほとんど聞こえない。

　坂をのぼりきると、その向こうには平らな土地がひろがっていた。クロウは立ちどまって、シャーロックが追いつくと、眼下に見える湖を指さした。

「ここでひとつ言っておこう。狩りをするときには、見晴らしがいいからといって、こういうところに立ちどまるのはまずい。森の動物からどんなふうに見られているかを考えるんだ。こんなところに立っていたら、どこからでも丸見えになる」

返事をするまえに、クロウはふたたび歩きはじめた。

シャーロックはふと思った。クロウ先生は磁石もなにも持っていない。なのに、雑草をかきわけながらどんどん歩いていく。どうしてなのか。方向を知る手立てはまわりの自然しかない。太陽は東からのぼり、西に沈む。でも、お昼どきの太陽は頭の上にあり、方向を知るめやすにはならない。いや、ちょっと待て。本当にそうなのか。太陽が頭の真上にあるのは、昼の十二時に赤道の上にいる場合だけだ。イギリスのような北半球の国から見れば、正午の太陽は真上ではなく、いくらか南側にずれている。たぶん、クロウ先生はそうやって方角を割りだしているのだろう。

そういう結論に達したとき、クロウが前を向いたまま言った。

「いいや、それだけじゃない。苔類は木の北側でよく育つ。北側は日があたらず、湿り気が多いからだ」

「どうしてわかったんですか」

「なにをだね?」

「ぼくがなにを考えていたかです。ちょうどそのことを考えていたところだったんです」

クロウはほほえんだ。

「種あかしはまた別の機会にしよう」

森のなかをしばらく行ったところで、クロウは立ちどまり、編みかごを地面に置いて、腰をかがめた。

「いまここでなにか気づいたことはないかね」

シャーロックも同じように腰をかがめて、まわりを見まわした。木の根もとのやわらかい土の上に、小さなハート形の足あとがついている。

「シカがここを通ったんですね」

「そのとおり。そのシカはどちらの方向に行ったか。それは大人か子どもか？」

シャーロックは足あとを見つめ、丸みを帯びているほうを指さした。

「向こうですか？」

「いいや、ちがう。前が丸くなっているのは馬の足あとだ。シカはとがっているほうが前になる」

クロウはまわりを見まわし、草むらの一画にあごをしゃくった。

「あそこを見たまえ。草のなかに道ができているね」

見ると、たしかに道のようなものがある。幅は約十五センチ。はっきりしたものではないが、草が両側になぎたおされているので、それとわかる。

「シカは食べ物をさがしながら、ねぐらと水場のあいだを一日中行ったり来たりしている。それが安全な道だとわかったら、よほどこわい思いをしないかぎり、その道をずっと使いつづける。このことからどんな教訓が導きだせるか」

「獲物はよほどのことがないかぎり習慣を変えないということでしょうか」

「そのとおりだ。よく覚えておきなさい。酒好きの男をさがしているときには、酒場をたずねたらいい。賭けごとが好きな男をさがしているなら、競馬場に行けばいい。あとは移動手段だ。だれだって、どこかへ行くときには、辻馬車や汽車を使う。だから、そこを調べればいい」

クロウは体を起こし、編みかごをとって、ふたたび木々のあいだを歩きはじめた。シャーロックはそのあとを追い、周囲を見まわしながら歩いた。クロウのレッスンのおかげで、ほかにもいくつもの足あとを見つけることができた。大きさはさまざまだが、いくつかはシカのものだろう。ほかの動物のもある。イノシシとか、アナグマとか、キツネとか。草が押し倒されてできた道もいくつか見つかった。いままで見えてなかったものがいまは見える。以前と同じ場所でも、いまは以前とはちがって見える。

そこからホームズ荘まではさらに三十分ほどかかった。

「きょうのところはここまでにしておこう。狩りについて話しておきたいことがまだいくつか残っている。あすまた会おう」

「うちに寄って、お茶でも飲んでいきませんか。メイドに頼めば、魚をさばいてもらうこともできます」

「そりゃいい。せっかくだから、お言葉に甘えることにするよ」

ふたりは玄関前の砂利道を歩いていった。このときはシャーロックが先頭に立った。

ノックをしないで玄関のドアをあける。

「エグランタインさんはいますか」

階段の下の暗がりから人影があらわれて、前へ進みでた。

「あら、シャーロック坊ちゃま。なにを勘ちがいなさっているのか知りませんが、ここはホテルじゃないんですよ」

秋の枯葉のような乾いた声だ。

「あなたも勘ちがいしているようですね。あなたは家政婦なんですよ。クロウ先生といっしょにお茶を飲みたいんです。悪いけど、用意してもらえませんか」

シャーロックは精いっぱい強がったが、心臓は大きな音をたてている。エグランタイン夫人はどうするつもりなのか。言われたとおりにするか、それとも声を荒らげて拒否するか。本人も迷っているようだ。結局、ぷいと体の向きを変え、なにも言わずに台所のはうへ歩きはじめた。

ホームズ荘に来てからというもの、エグランタイン夫人にはずっといやな思いばかりさせられてきた。なんとか一矢報いたいという気持ちは強まるばかりだ。シャーロックはクロウの足もとに置かれた編みかごを指さした。

「そうそう。クロウ先生が魚を釣ったんです。その魚をだれかにさばかせてくれませんか」

エグランタイン夫人がおっかない顔をしてもどってきた。唇はねじれて、言いたいことを必死でこらえているように見える。

「承知しました。だれかに頼んで、かごをとりにこさせます。お茶は応接室でめしあがってください」

エグランタイン夫人は食いしばった歯のあいだから言い、暗がりのなかに消えていった。

「要注意だぞ」と、クロウは小さな声で言った。「きみを見ているときの目はふつうじゃなかった」

「どうしてシェリンフォードおじさんとアンナおばさんが黙っているのか不思議でなりません。そんなにすぐれた家政婦とも思えないのに。ほかの使用人も仕事が手につかないくらいおびえています。あのひとがそばにいるだけで、手が震えて、皿を落としてしまうメイドもいるくらいです」

「その点についてはくわしく調べてみる必要がありそうだ。きみの言うとおりの鼻つまみ者で、家政婦としてもそんなに役に立っていないとすれば、どうして家に置いているのか。もしかしたら、エグランタインさんになんらかの借りがあるのかもしれない。だから、その借りをかえすために、しかたなしに雇(やと)ってるってわけだ。でなかったら、きみの家族のなんらかの秘密を知っているということかもしれない。それを楯(たて)にとって、屋敷(やしき)にいつづけているんだ」

「兄はその理由を知っていると思います。あのひとには気をつけたほうがいいと言っていました」

ホームズ荘(そう)に移ってきた直後に受けとった手紙に、たしかそういったことが書かれていた。

クロウはほほえんだ。

「きみのお兄さんはなんでも知っている。彼(かれ)が知らないことは知る価値がないことだ」

「先生は兄にも教えていたんですね」

クロウはうなずいた。

「釣(つ)りにも連れていったんですか」

クロウの顔が急にほころんだ。

「一度だけある。でも、彼はアウトドア派じゃない。水のなかで魚を釣ろうとした人間を見たことは、あとにも先にもない」

「魚をつかまえるために水のなかに飛びこんだってことですか」

シャーロックはその光景を頭に浮かべた。

「リールを巻いているときに落ちたんだよ。舟に引っぱりあげたときには、地面からはなれるのは二度とごめんだと言っていた。できることなら、都会の舗装された通りがいいらしい。でも、きみのお兄さんはヨーロッパ中のすべての魚の泳ぎ方やエサの食べ方を知っている。運動神経は少しばかり鈍いが、頭のよさという点では右に出る者はいないだろう」

「応接室に行きましょう。すぐにお茶がはいります」

応接室は広間のすぐ先にあり、通りに面している。シャーロックは安楽椅子にすわり、クロウはソファーにすわった。ソファーは大きく、頑丈にできているが、それでもぎしぎしときしんだ。クロウの体重はマイクロフトと同じくらいある。ただし、贅肉はまったくない。

ドアを軽くノックする音がして、メイドが銀のトレーを持って部屋にはいってきた。トレーには、紅茶のポット、二組のカップと受け皿、ミルク、それにケーキまでのっている。エグランタイン夫人はいつになく気前がいい。それとも、ほかのだれかが気をつかってくれたのだろうか。

トレーには、別の物ものっていた——封筒(ふうとう)だ。

メイドはテーブルの上にトレーを置いて、シャーロックと目をあわせずに言った。

「お手紙が来ています。ほかになにかご用は?」

「いいや、ない。ありがとう」

メイドが部屋から出ていくと、シャーロックは急いで封筒(ふうとう)に手をのばした。自分あてに手紙が来ることはめったにない。たまに来たときには、それはいつも——

「兄さんからだ!」

「それは事実かね。それとも推理かね」

「筆跡(ひっせき)でわかるんです。ロンドンの消印がはいっています。そこには兄さんの職場と家とクラブがあります」

シャーロックは蝋(ろう)の封印(ふういん)をはがして、封筒(ふうとう)をあけた。

「見てください。便箋(びんせん)にはディオゲネス・クラブの印がはいっています」

「消印の日付はどうなっている?」

「きのうの午後三時半です。それがどうかしたんですか」

「平日の午後なのに、職場ではなく、クラブで手紙を書いている。変だと思わないかね」

シャーロックはしばらく考えてから答えた。

「兄はクラブで昼食をとることが多いと言っていました。食事をしながら手紙を書き、だれかに頼(たの)んで投函(とうかん)してもらったんじゃないでしょうか。手紙が郵便局に集められるのは、次の日の午前の早い時間で、仕分けをされるのは午後の三時ごろです。ですから、消印をおされるのはその三十分あとということになります。どこもおかしいところはないと思います」

クロウはほほえんだ。

「たしかにおかしなところはない。わたしが言いたかったのは、一通の手紙からでも多くの事実を推理することができるということだったんだよ。たとえば、消印がロンドンではなくて、ソールズベリーだったとすれば、なにかがおかしいということになる。きみのお兄さんが昼食をとるために職場をはなれる習慣がなく、便箋(びんせん)がクラブのものだったとしたら、それもやはりおかしい。きみのお兄さんが職を失ったか、その日は出社しなかったか、早退したということになる」

「でなかったら、クラブから便箋(びんせん)を持ちかえって、職場で手紙を書いた可能性もありますね」
「どんなときにも、いく通りもの説明ができるものだよ」
シャーロックは胸を高鳴らせながら手紙に目を通した。

親愛なるシャーロック

ステーキとキドニー・プディングが来るのを待ちながら、この手紙を大急ぎで書いている。オフィスにもどるまえに書きおえなきゃいけないからね。

元気でやっているものと思う。シェリンフォードおじさんとアンナおばさんも元気でいればいいんだが。エグランタイン夫人にいじわるをされていないだろうね。

喜んでくれ。おまえは今後もひきつづきホームズ荘で勉強をつづけられるようになった。そのために必要な手つづきはすべてすませた。もうディープディーン校にもどる必要はないということだ。

クロウ先生にはいままでどおりのレッスンをつづけてもらう。シェリンフォードおじさんには宗教と文学を受け持ってもらおうと思っている。問題は数学で、その点についてはいま考えているところだ。結論が出たら、また連絡する。

数年後には、おまえも大学生になる。オックスフォードとケンブリッジのどちらかを選ばなければならない。でも、その点については後日あらためて話しあおう。

　ところで、けさ父さんから手紙が来た。インドに着いてすぐに投函（とうかん）したようだ。航海中のできごとについて、いろいろ書かれている。ぼくから聞くよりも自分で手紙を読んだほうがいいと思う。あす、いっしょに食事をしないか。もしよかったら、ロンドンのぼくのクラブで。

　クロウ先生にも声をかけてくれ。おまえの教育について話しあいたいことがあるんだ。午前九時半にファーナム駅を出る列車に乗れば、ウォータールー駅からの時間を考えても、十二時までにはクラブに着けるはずだ。

　では、あしたまた。このまえおまえに会って以来どんなことがあったか、話を聞けるのを楽しみにしているよ。

愛をこめて
マイクロフト

「なにか耳寄りな知らせでも？」

　クロウは聞き、シャーロックは笑顔で答えた。

「ええ。ぼくたちはあすロンドンに行くことになりました」

2

その日の午後、シャーロックはファーナムまで馬で行った。小雨が降っていて、道路には水たまりができ、シャツのえりを立てても、内側にたくしこんでも、雨のしずくは首すじを伝って流れおちていく。馬はモーペルチュイ男爵（だんしゃく）の屋敷（やしき）につながれていたものだ。名前はまだつけていない。つけるかどうかもわからない。

どうしてひとは動物に名前をつけるのか。名前や番号がついていても、あるいはついていなくても、動物はなんとも思わない。けれども、人間は動物を自分たちと同じだと勝手に思いこんでいる。だから、動物にも名前をつけたがる。

水しぶきをあげて歩く馬の上で、シャーロックは動物とペットのちがいについて思案をめぐらせた。牛の肉は食べるのに、馬の肉はどうして食べないのか。論理的な理由はたぶんなにもない。馬の肉に毒があるわけではないのだ。

ネコや犬の肉がレストランのメニューにのることはないのに、どうしてウサギの肉はシチューの鍋にいれるのか。まったく筋が通らない。それはだれかが動物の王国に気まぐれに線を引いて、こんなふうに言っているようなものだ。〃この線の向こうにいる動物は食べてもいい。だが、この線の手前にいる動物は、散歩に連れていったり、なでてやったり、死んだら埋葬してやらなければいけない〃

雨が服のすきまからどんどんなかにはいってくる。

このようなおかしなルールは外国にもあるのだろうか。馬や犬の肉は食べてもいいが、牛は神聖なものと考えているような国はあるのだろうか。あるとしたら、そのルールは完全に主観的なものということになる。逆に、すべての国の食習慣が同じだとすれば、牛は食料であり、馬は友人であるという考えは人類に共通する普遍的なものということになる。

ふと気がつくと、シャーロックは馬の首をやさしくなでていた。

自分はこの馬を食べることができるだろうか。ついさっきまで自分が乗っていた馬だと知りながら、その肉を食べることができるだろうか。理屈の上では、できない理由はなにもない。実際は考えるだけで吐き気がする。けれども、食べなければ死んでしまうという状況に追いこまれたらどうか。たぶん食べるだろう。筋は通っている。

馬がファーナムの町に近づくにつれて、混乱は増すばかりだった。自分が馬を食べられるとすれば、ほかの者に食べられないわけはない。自分とマティがそういう状況に追いこまれたとしたら……

　もういい。考えるのはよそう。そう思ったが、やはり考えずにはいられなかった。

　昆虫と人間のあいだには、知性という点からいっても、進化の度合いからいっても、大きなちがいがある。魚やカエルは虫に近い。だが、犬やネコは人間に近い。そういったことはチャールズ・ダーウィンの『種の起源』という本に書かれていた。数週間前、シェリンフォードおじさんが夕食の席で批判していた本だ。

　ダーウィンによれば、人間は動物の一種にすぎず、特別なものでもなんでもない。もちろん、神によってつくられたものでもない。とりあえず宗教の問題を無視して、人間は道具と言葉を使う動物にすぎないという考えを受けいれるとすれば、人間が人間を食べてはいけないという理由はどうやって説明すればいいのか。

　多くの疑問が次々に頭に浮かんでくる。論理は役に立たない。理屈ではどうしても割りきれないものが残る。あきらかになにかがちがう。論理にはまちがいなく限界がある。それはなぜなのか。どうすれば正しい解釈ができるのか。

　この問題はどこからはじまったのか。

　馬に名前をつけていないことだ。

　シャーロックはまた馬の首をなでながら言った。

「きみの名前はフィラデルフィアだ」

自然に口もとがほころんでくる。考えてみれば、名前にはさまざまな意味がある。バージニアの愛馬にはサンディアという名前がついているが、それはアメリカの山脈からとったものだ。だとすれば、自分の馬にアメリカの都市の名前をつけてもおかしくないだろう。フィラデルフィアを短くするとフィリー、それは若い雌馬（めうま）を意味する言葉でもあるから、シャレにもなる。

「フィラデルフィア……いい名前だ」

その言葉を理解し、喜んでいるみたいに、馬はいなないた。

町の中心部にはいると、シャーロックはフィラデルフィアを穀物市場の横につなぎ、レンガの柱の下を歩きながらマティをさがした。

マティがいつなにをしているかは、おおよそわかっている。以前は小さな舟（ふね）であちこちの町を転々（てんてん）としていたが、いまはずっとファーナムにいる。少なくともしばらくのあいだはどこにも行かないと言っている。それは自分が近くにいるからかもしれない。それはふたりの友情のあかしかもしれない。

マティはかけがえのない友人だ。マティがいなくなれば、どんなにさびしい思いをしなければならないか。

マティは川のほとりにすわっていた。一見ぼうっとしているように見えるが、じつは魚を運ぶ船がやってくるのを待っているのだ。氷詰め（こおりづめ）の箱を陸あげするときに、そのひとつが落ちてこわれたら、魚の一匹（ぴき）や二匹（ひき）くすねるのはわけもない。もしかしたら、マティは作業員が箱を落とすような細工をしているのかもしれない。聞いてみたい気もするが、やめておこう。そんなことは知らないほうがいい。

「やあ」と、マティは言った。「そろそろ、来るんじゃないかと思ってたよ」

「あしたロンドンに行くことになったんだ」と、シャーロックは答えた。

話したいことはいっぱいある。このところマティがどこでなにをしていたのかといったことも知りたい。でも、どんなふうに話を切りだしたらいいかわからない。あらたまって話をするのはあまり得意じゃない。

「これから駅に行って、切符（きっぷ）を買わなきゃいけない」

「楽しい旅になるといいな」

「よかったら、いっしょに行かないか」

シャーロックは言ったが、もちろん兄の許可がおりるかどうかはわからない。

「駅までかい？　せっかくだけど、駅なら何度も行ったことがあるから」

「ちがう、ロンドンだよ」

マティは首をふった。

「ロンドンはもうこりごりだよ。このまえのことは、いまでも忘れちゃいない。おまえとバージニアがモーペルチュイ男爵にさらわれたあと、クロウ先生といっしょにここへ帰ってきたときのことだ。なにがあったと思う？　読み書きを教えると言いだしたんだ。本なんか読めなくたっていいっていくら言っても、聞いてくれない。そのあと、おまえたちふたりをさがしにフランスまで船で行ったときもそうだ。教えだしたら、あの先生、とまらなくなる」

「きっと教えるのが好きなんだろう。あのときは、ほかに教える者がいなかったからね」

「もう二度とあんな目にはあいたくない」

「バージニアとは会ってるのかい」

「ここ数日は会ってないよ」

「さがしにいってもらえないかな」

マティは川を見つめたまま首をふった。

「やだね。食いものにありつくほうが先だ」

「ポークパイをおごるから」

一瞬、気が動いたみたいだったが、マティは首をふった。

「遠慮しとくよ。食いもののことは他人まかせにできない。だいじょうぶ。そのくらいは自分の力でなんとでもなる。だれにも見つからずにカリフラワーとかハムとかをくすねるのは、そんなにむずかしいことじゃない」

「だったらいい。べつに哀れみをかけたわけじゃない。友情のあかしのつもりだったんだ」

「そんなふうには見えなかったけどな。とにかく、だれがなんと言おうと、哀れみを受けるつもりはないぜ」

シャーロックはうなずいた。

「わかったよ。とにかく、ぼくはこれから駅に行く。また会えるよね」

「さあ、どうだろう。食いものが見つかるかどうかによる」

マティと別れたあと、シャーロックは町なかをゆっくり歩きはじめた。気もそぞろだった。早くロンドンに行きたいが、それはあすまで待たなければならない。兄は到着の時間まで指定してきている。

いつのまにか大通りに出ていた。酒場はまだ昼すぎだというのに大勢の客でごったがえしている。パン屋には、ねじれたパンが高く積みあげられている。野菜や果物を売る店もあれば、道具類や植物の種を売る店もある。安物ばかりならべている服屋もあれば、気どった高級衣料店もある。通りには、物売りや買い物客のほかに、おしゃべりを楽しんでいるだけの者もいる。

「シャーロック！」

シャーロックは驚いてふりかえったが、最初はだれかわからなかった。長身に、やせた体、長い黒髪。通りの反対側に立って、にこにこ笑っている。

見覚えはあるが、思いだせない。エイミアス・クロウから教わったとおり、男の身なりを観察すれば、職業を知る手がかりを得ることができるかもしれない。見ると、コーデュロイのジャケットの左肩の布がすり切れている。爪の下には、こはく色の粉がたまっている。だが、それ以外には、なんの手がかりもない。

いや、ちょっと待て。

その瞬間、ふたつの手がかりが結びつき、その男が売れないバイオリニストであることがわかった。

「ミスター・ストーン！」

男の笑みが大きくなり、口のなかで金歯がきらりと光る。数か月前、ニューヨークへ向かう船の上でバイオリンのひき方を教えてくれた男だ。

大きな音をたてて走る荷馬車をよけ、通りのあちこちに落ちている馬糞をよけながら、通りを横切って歩いてくる。

「まえにも言ったと思うが、ぼくのことをミスター・ストーンと呼ぶのは雇い主だけだよ。ここ数か月は、そんなふうに呼ばれたことは一度もなかったがね」

「ずっと気になっていたんですよ。船でイギリスに着いてから、どうなさっていたんですか」

眉間にしわが寄った。

「この町に越してきて、新しい生活をはじめようかと思っていたんだが、ソールズベリーに用ができたので、しばらくのあいだそこへ行っていたんだよ。ソールズベリー劇場のオーケストラに空きがあるという話を聞いてね。でも、本当のことを言うと、お目当てはプリマドンナさ。あれほどの美女を一晩中ながめていられる機会はそんなにあるもんじゃない」

「それで、どうなったんです」

「残念ながら、彼女の心は主演の男に奪われていた。よくあることだ。あとで知ったんだが、楽団員はみなその女性がお目当てだったらしい。いくらの稼ぎにもならなかったが、特等席にすわっていられるんだから、ま、しかたがないね。生きるってことは学ぶってことだ。この町でバイオリンの教師の仕事が見つかればいいんだが」

大きなため息がもれる。

「たぶん見つかると思いますよ。近くにいい学校がいくつかあるし、大きなお屋敷もけっこうありますから」

「ところで、きみはどうしていたんだ。バイオリンの練習はつづけているのかね」

「いいえ、バイオリンは持っていないので。できれば買いたいと思ってるんですが……先生のバイオリンはどこに置いてあるんですか」

「近くに部屋を借りているんだよ。そうそう、それで思いだした。家主に用を頼まれていたんだ。一時間以内にチキンを買って帰らなかったら、家からたたきだされてしまう。きみの連絡先を教えてもらえないか。もしよかったら、レッスンを再開してもいい」

「ホームズ荘です。返事は一日か二日待ってもらえませんか。兄とおじに相談してみます。きっと賛成してもらえると思います」

ストーンはほほえんで、手をさしだした。

「再会できてうれしいよ、ホームズ君」

シャーロックは手を握った。ストーンの手はあたたかくて、乾いていた。力はあまり強くない。できるだけ指に負担をかけたくないということだろう。

「それじゃ、また」

ストーンは体の向きを変え、人ごみのなかに消えた。

急にうきうきした気分になって、シャーロックは馬をつないであるところに向かった。駅は町のはずれにある。午後の早い時間帯には汽車が走っていないので、駅構内はがらんとしている。

シャーロックは馬からおりて、切符売り場に向かい、カウンターごしに言った。

「あすの朝九時半発のロンドン行きの切符をください。二等席。大人一枚、子ども一枚」

駅員は眉をあげた。

「切符代を持ってるのかね。それとも、お代はあす、おこづかいをもらってからということかね」

シャーロックは一握りのコインをカウンターの上に置いた。

こづかいは兄が郵便為替で定期的に送ってくれている。おじの家で現金を使う機会はほとんどないから、いまでは多少のたくわえがある。兄の手紙には列車の代金についてなにも書かれておらず、現金も同封されていなかった。切符代は自分で払えということだろう。これも大人への小さな一歩ということかもしれない。

駅員は二枚の切符をカウンターごしにさしだし、その横におつりを置いた。

「大人一枚、子ども一枚、二等席だね」

「そうです。ありがとう」

片方のポケットに切符をしまい、もう一方のポケットにコインをしまって、ふりかえった瞬間、駅の横の路地にはいっていく黒い人影が見えた。女性だったような気がする。

背筋に寒けが走った。エグランタインさんがあとをつけていたのか。エグランタインさんを怒らせるようなことをなにかしてしまったのか。

急いで駅の横の坂道をかけおりる。だれかに待ちぶせをされているといけないので、路地の手前でたちどまって、そこからなかをのぞきこむ。人影はどこにも見あたらない。路地の壁を見ても、ひとが通りぬけられるようなすきまはどこにもない。どこかに消えたとしか思えない。

あれは幻だったのか。妄想がなにもないところに人影をつくりあげたのか。

路地にはいり、腰をかがめて、地面を見ると、足あとが前方につづいている。

爪先はとがっていて、かかとは小さい。靴底の修理のあともないし、穴のあともない。つまり、靴は新品だということだろう。でなければ、手入れがよく行き届いているということだ。

路地の奥にはいって、地面を調べたが、とくにこれといったものは見つからなかった。

しかたがないので、フィラデルフィアに乗って、エイミアス・クロウの家に向かうことにした。

家には人けがあった。馬小屋の前では、バージニアの馬が草を食べていた。それを見ると、にわかに気が晴れた。

馬からおりて、開いているドアのほうに歩いていく。

だが、居間にいたのは、バージニアではなく、エイミアス・クロウだった。ひじかけ椅子にすわって、本を読んでいる。シャーロックがはいってきたことに気づくと、顔をあげて、老眼鏡ごしに目をこらした。

「切符は買えたかね」

「ええ……町でルーファス・ストーンに会いました。ファーナムに住んでいるそうです」

「どういうことだろう。おかしいな。どうしてこの町に来たんだろう。きみが住んでいるこの町に」

「船の上で、ぼくはファーナムに住んでいるという話をしたんです。できればバイオリンを教わりたいとも言いました」

青い目はじっとシャーロックは見つめている。

「社交辞令としては悪くない。それがきみのためになるのはわかるが、ミスター・ストーンにとってはどんな利益があるのだろう」

ルーファス・ストーンが近くに住んでいることを、どうやらクロウは快く思っていないようだ。

「だれだって、どこかに住まなきゃなりません。どうせなら、バイオリンを習いたい者がいるところのほうがいい。それだけ生計を立てやすくなるんですから」

「バイオリンを習いたい者というのは、きみのことかね」

「そうです」

クロウは本をひざの上に置いて、メガネをはずした。

「音楽は気晴らしになる。でも、頭を有効に使いたいと思っている者にとっては、あまり好ましいものじゃない。ひとつの曲を覚えるのにどれだけの時間がかかると思う？　頭はもっと有意義に使うべきだ。記憶にとどめなければならないものは無数にある。動物が残した足あととか、人間の耳のかたちとか、手に残っている傷あととか、その日の服装とか……音楽はなんの役にも立たない。そんなものにうつつをぬかすのは愚かだ」

興味を持ちはじめたことを否定されたのは悲しかった。町へ向かっているときに考えた動物と人間のちがいについての問題がふと頭に浮かんだ。

「そんなことはないと思います。おっしゃるとおり、記憶にとどめなきゃならないものは無数にあります。食べられるキノコも知ってなきゃいけないし、帽子についた染みからなにかを推理しなきゃならないときもあるでしょう。でも、そういったことにどれほどの意味があるというんです。かすかな手がかりを頼りに獲物のあとをつけることは、動物にもできます。それがそんなに大事なことなんでしょうか。動物にできることをするだけで満足していていいんでしょうか」

「音楽は人間を動物から区別するものだと言うのかね」

「そのひとつだと思います」

クロウは肩をすくめた。

「たしかにわたしは音楽にうとい。わたしにとって、人間であることとは、家族を守り、自分の行動に責任を持ち、まわりの者がおたがいを思いやれるようにすることだ。それ以上でも以下でもない」

「でも、なんのために？　自分がよりよいものになりつつあるという実感がないとすれば、そこにどんな意味があるんでしょう」

「大事なのは生き残ることだ。人間が生きる意味は生き残ることにある」

「それだけですか。生きつづけるために生きるのですか。生き残るために生き、生きるために生き残るのですか」

「簡単に言うと、そういうことになる。単純明快だ。だれにもそれを否定することはできない。ところで、どうする。ここでお昼を食べていくかね。それとも、まっすぐおじさんの家に帰るかね?」

クロウが急に話題を変えたのは残念だが、言い争いにならなくてすんだのはよかった。クロウは尊敬する人物であり、この程度のことで気まずい関係にはなりたくない。

「バージニアはどこにいるんです」

「すぐにもどってくるよ。サンディアに飲ませるための水をくみにいっている。なんなら、さがしにいけばいい」

シャーロックがドアのほうを向いたとき、クロウは付け加えた。

「参考のために言っておくが、ルーファス・ストーンというのはサウサンプトンの近くにある村の名前でもある。たぶん偶然(ぐうぜん)の一致(いっち)だろう。でなかったら、適当な名前が思いつかなくて、たまたまどこかの道路標識に書いてあった地名を名前にしたのかもしれない」

シャーロックはとまどいを感じた。たとえそうだとしても、どうしてそんな話をわざわざここで持ちださなければならないのか。

外に出ると、バージニアがいた。バケツにくんだ水を馬に飲ませている。

「きみのお父さん、きょうはどことなく気が立ってるみたいだったけど、なにかあったのかい」

バージニアは横目でシャーロックを見た。

「あら、こんにちは、シャーロック」

シャーロックはバイオリンのレッスンをめぐる先ほどのやりとりを話して聞かせた。

「どういうことかほんとにわからないの？」

「ああ、さっぱりわからない」

バージニアは首をふった。

「まえにも言ったと思うけど、あなたって、頭がいいのか悪いのかわからないのね」

「筋が通らないと思わないかい。新しい友人ができ、新しい楽しみが見つかったんだよ。喜んでくれるとばかり思っていたのに」

バージニアは腰をのばして、腰に両手をあてがった。

「じゃ、聞くけど、あなたのお父さんがインドじゃなく、いまもイギリスにいたとしたら、パパのことをどう思うかしら。仲よくやっていけると思う？」

シャーロックは眉を寄せて考え、しばらくしてから答えた。

「さあ、どうだろう。育った環境がちがうし、それに……」

その先の言葉が見つからず、シャーロックの声は尻すぼまりになった。

「それに、なに？」

考えていることを言葉にするのはなんとなくためらわれる。

「きみのお父さんがしていることは、本来ぼくの父さんがすべきことだよね。勉強を教えるとか、いっしょに散歩に行くとか、アドバイスを与えるとか」

「そう。パパはいまあなたのお父さんがわりになっている」

シャーロックはぎこちなくほほえんだ。

「いやかい?」

バージニアもほほえんだ。

「あなたがそばにいるのはいやなことじゃないわ」

バージニアは目をそらし、それからまたシャーロックのほうを向いた。

「そう、あなたの考えてるとおりよ。パパはあなたを自分の息子みたいに思っている。しかも、あなたのお父さんの知らないことをいろいろ教えている。としたら、あなたのお父さんがパパに対して焼きもちをやくのはあたりまえのことじゃないかしら」

「きみのお父さんが焼きもちをやいてる? ストーンさんに対して? そんなのバカげてる」

「どうして?」

「だって、ストーンさんは父さんとはちがう。どちらかというと、年がはなれた兄に近い。

でなきゃ、若いおじさんだ。それに、ぼくがストーンさんからバイオリンを習ったからといって、きみのお父さんのレッスンに価値がなくなるわけじゃない。それとこれとはまったく別の話だ。理屈にあわない」

バージニアは首をふった。

「感情は理屈じゃないのよ、シャーロック。感情にルールなんてない」

「だったら、感情なんて、いらない。混乱を引きおこして、ひとを傷つけるだけだ」

しばらくのあいだ、その言葉は鐘をたたいたあとのようにふたりのあいだに漂っていた。

「価値のある感情もあるわ。少なくとも、わたくしはそう思ってる。あなたがどう思ってるかは知らないけど」

バージニアはやさしく言って、目をそらした。そして、腰をかがめ、バケツを持ちあげると、家の裏手のほうへ歩いていった。

シャーロックはその姿が家の角をまわって消えるのをじっと見つめていた。心のなかで、なにか大きなことが起こったような気がするが、それがなんなのかはわからない。

そのあと、シャーロックは自分の馬をつないであるところまで歩いていった。その馬にフィラデルフィアという名前をつけたことはまだバージニアにも話していない。もしかしたら、自分は人間の感情というものがよくわかっていないのかもしれない。けれども、いまバージニアにその話をすべきときでないということはわかっている。

シャーロックは家路をたどりはじめた。頭のなかに、エイミアス・クロウと、バージニアと、ルーファス・ストーンと、いまは遠くへ行っている父親の顔があらわれては消える。考えれば考えるほど、頭がこんがらがってくる。あまりに複雑すぎ、非論理的すぎ、感情的すぎる。

ホームズ荘にもどると、シェリンフォードおじさんを見つけだして、兄から来た手紙の話をした。ロンドンへ行く許可をもらうためではない。たとえ許可をもらえなくても行くつもりだ。だから、すでに決まっていることのように話した。運のいいことに、おじは牧師に配る説教の文面をねっている最中で、なかば上のそらで話を聞き、マイクロフトがそう言っているのならということで快く了承してくれた。

翌朝、目が覚めると、空には雲ひとつなく、陽光は木々にさんさんとふりそそいでいる。明るい日ざしのもとでは、ゆうべ寝るまえに考えていたことなど取るに足りない問題のように感じられる。急いで服を着て、ポリッジとトーストで朝食をすませると、馬車で駅まで送ってほしいとおじに頼んだ。ロンドンに行っているあいだフィラデルフィアを駅につないでおくわけにはいかない。

駅には、エイミアス・クロウのほうが先に着いていた。いつもどおりの白いスーツとつばの広い白い帽子といういでたちは、印象的で、威風堂々としている。

　クロウはシャーロックにうなずきかけた。

「きのうは悪かったと思ってるよ。議論が噛みあっていなかった。わたしが深く考えもせず、筋の通らないことを口走ってしまったせいだ」

「いいんです。だれがなんと言おうと、自分が正しいと思ったら、そう主張すべきだと思います。でないと、偽善になってしまいます」

「じつを言うと、わたしの妻はオペラが好きだったんだよ。ワーグナーというドイツの作曲家の大ファンでね。妻をなくしてから、オーケストラの音やオペラ歌手の声を聞くのは、なんとなくつらくて……」

「わかります」

「本当にわかっているとすれば、きみはわたしよりずっと物わかりがいいってことになる」

　さいわいなことに、そのとき列車がプラットホームにはいってきたので、会話がそれ以上気まずくなることはなかった。

　車内は席ごとに仕切りがあり、自分たちの席にほかの乗客はいなかった。シートにはやわらかい詰め物がはいっていて、すわり心地がいい。蒸気機関車からふきだした煙が窓のいる。
外を低い雲のように流れている。その向こうには、緑の田園風景がどこまでもひろがって

ウォーキング駅を過ぎたところで車掌がやってきて、切符を点検した。車掌が外に出て、ドアを閉めると、クロウは言った。

「さっきの車掌についてわかったことを話してみたまえ」

もう慣れっこになっているので、こういう質問が来ることは予測できていた。

「靴はぴかぴかに磨かれ、シャツにはていねいにアイロンがかけられていました。ということは、メイドがいるか、結婚しているかどちらかです。でも、列車の車掌の給料がメイドを雇えるほどいいとは思えません。ということは、結婚している可能性が高いということになります」

「上出来だ」

「奥さんは年上ではないでしょうか」

「どうしてわかる?」

「車掌は三十代だと思います。なのに、シャツのえりのデザインが古くさかった。シェリンフォードおじさんのシャツみたいでした。でも、シャツそのものは新しい。少なくとも、何年も着つづけているようなものじゃない。ということは、それは好き嫌いの問題に

なります。つまり、古いデザインのものが好きということです。ですから、シャツを買ったのが奥さんだとすると、年齢的にかなり上ということになります」

「古い家の出の若い奥さんという可能性もなくはない。でも、きみの説のほうが説得力がある」

「あとは、あの車掌は右の目が悪い」

クロウはうなずいた。

「たしかに。どうしてわかった」

「顔の左半分のひげはきれいに剃ってあるのに、右側は剃り方が雑だった。それは右の目がよく見えないからです」

「よろしい。以前にくらべたら格段の進歩だ」

「見逃していることはあるでしょうか」

クロウは肩をすくめた。

「いくつかある。あの男は再婚している。最初の妻は死亡した。いまの妻は子どもができなくて、そのことを思い悩んでいる。それから、もうひとつ。わたしの見たところ、どうやら鉄道会社から金を横領しているようだ」

「どうしてそんなことがわかるんです」

クロウはほほえんだ。

「才能。それに日ごろの鍛錬だ。きみもそのうちできるようになる」

シャーロックは首をふった。

「そうでしょうか。本当にそんなことができるようになるのでしょうか」

3

ウォータールー駅までの道のりは記憶にあったよりも短かった。その間、クロウは列車の乗降客や駅を歩いている者を観察し、そこからわかることを指摘してみせた。それがあたっているかどうかをたしかめるために、観察している相手を会話に引っぱりこんで、実際はどうなのかを話させたことも何度かあった。ルーファス・ストーンをめぐっての気まずい空気はいつのまにかすっかり消えていた。

ウォータールー駅で列車が速度を落としてとまると、ふたりはプラットホームにおり、駅の構内を横切っていった。

ウォータールー駅の混雑はすでに経験ずみだ。山高帽をかぶった人だかりのなかにいると、工場の煙突のあいだを歩いているような気がしてくる。まわりには汽車の吐きだした煙が漂っているので、そういった印象はなおのこと強い。

だが、そんなふうに考えるのはどうかと思う。山高帽から工場の煙突を連想するなんて、飛躍しすぎている。少しも論理的ではない。クロウ先生なら眉をひそめるだろう。

だけど、ルーファス・ストーンだったらどうか。たぶんちがった見方をするだろう。そう思ったとたん、なぜかおちつかない気分になった。

駅の外に出ると、クロウは一頭立ての辻馬車を呼びとめた。今回は一泊だけの旅だから、荷物はいくらもない。

「ディオゲネス・クラブへ」と、クロウは御者に命じた。

「場所はどこなんです、だんな」

「とりあえず海軍省をめざしてくれ。その近くに行ったら教える」

辻馬車が走りだすと、クロウは座席にもたれかかって説明した。

「そのクラブはできてから一年ちょっとしかたっていないんだよ。きみの兄さんは設立者のひとりらしい。クラブの名前はディオゲネスというギリシアの哲学者に由来している」

「名前は聞いたことがあります。でも、その思想についてはよく知りません」

「犬儒派と言ってね。人生の目的は自然と調和して生きることにあると考えている。富や権力や名声などにこだわるのをやめ、あらゆる世俗的な欲望を捨て、なにも所有することなく質素な生活を送るのを理想としているんだ。そのこと自体を否定しようとは思わない。でも、世のなか全体がそんなふうになったら、社会的な進歩というものは望めなくなる。

犬儒派の考えるところによると、世界は万人のために平等に存在している。苦しみが生まれるのは、まちがった価値感のせいであり、社会の無意味なしきたりや因習のせいということになる。きみのお兄さんやクラブがこのような思想からどんな影響を受けているかは知らないがね」

ここで少し間があった。

「それより、もっと大事なことがある。ディオゲネス・クラブには厳しいルールがあって、建物のなかでは話をすることをいっさい禁じられているんだ。クラブ内ではひとことも話しちゃいけない。ただひとつの例外は応接室だ。そこでなら話をすることができる。もちろん、われわれが会うことになっているのはその部屋だ。でなきゃ、きょうは一日黙って過ごさなきゃならなくなる」

辻馬車はウエストミンスター橋をわたっている。褐色ににごった水の上には、大きさもかたちもちがう種々雑多な船が行きかっている。

そのとき、シャーロックはアメリカに行ったときに兄からもらった本のことをふと思いだした――プラトンの『国家』だ。

「ディオゲネスとプラトンは同じ時代に生きていたのですか」

「ああ。仲が悪かったらしい。でも、その話はまたの機会にしよう」

川の北側に出ると、辻馬車は左にまがり、街路樹の植わった広い通りに出た。その先には、トラファルガー広場がある。このまえロンドンに来たときに見たネルソン提督の銅像が立っている広場だ。

しばらくして辻馬車がとまると、ふたりは舗装された道路におり、クロウは御者に運賃を払った。

広い通りはその先で大きくカーブし、別の通りへつづいている。そこから少し行ったところに、ディオゲネス・クラブと書かれた真鍮の飾り板がはりつけられているドアがあった。

クロウがステッキの先でノックすると、ドアはすぐに開いた。クロウはドアの枠に頭をぶつけないように腰をかがめて先になかにはいり、シャーロックはそのあとにつづいた。はいったところは狭いホールになっていた。壁はオーク材張りで、床には大理石がしきつめられている。中央に二階にあがる階段があり、片側の開いたドアの向こうに、緑色の革張りのひじかけ椅子がならんだ広い部屋が見える。どこからか置き時計の音が聞こえてくるだけで、あとはしんと静まりかえっている。あまりに静かで、耳が痛いくらいだ。

ドアをあけたのは、イタチのような顔をした小柄な男だった。召使い用のしわひとつない制服を着て、顔がうつるくらいぴかぴかに磨きあげたブーツをはいている。背筋がまっすぐにのびていて、軍人あがりのような印象を与える。

　クロウが名刺をさしだすと、召使いはそれを見てうなずき、ついてくるようにと手ぶりで示した。ふたりは召使いのあとについていき、緑色のひじかけ椅子で新聞を読んでいる男たちのあいだをぬけて、奥のドアの前へ行った。

　召使いがドアをノックすると、新聞を読んでいた数人の男が顔をあげ、音のするほうに目をやった。

　返事はない。が、よく考えたら、クラブ内では話をすることが禁止されているのだから、〝はいれ〟という返事があるはずはない。召使いはあきらかにドアがあくのを待っている。

　だが、なにも起こらない。

　召使いはまたドアをノックした。

　このときは部屋のなかから足音が聞こえた。なにかがドアにぶつかる音がし、それからかんぬき錠のボルトが引かれ、ドアが開いた。

　ドアの向こうには、マイクロフト・ホームズが困惑の表情で立っていた。その大きな体にさえぎられて、部屋のなかは見えない。

　マイクロフトは手を額のほうにあげかけた。驚いたことにその手にはナイフが握られている。本人自身もびっくりしたような顔をしている。まるではじめて見たというように、ナイフを凝視している。

マイクロフトは部屋の奥のほうへ首をまわした。そのとき、体が横にずれたので、部屋のなかを見ることができた。

クラブのほかの部屋と同様、壁はオーク材張りだが、窓はひとつもない。部屋の中央には大きなテーブルが置かれている。そのまわりには布張りの椅子が左右対称に配置されている。

その椅子のひとつに、だれかがすわっている。シャツには血のあとがひろがり、高い天井からさがっているシャンデリアに向けられた目に光は宿っていない。どうやら死んでいるようだ。

「兄さん！」と、シャーロックは叫んだ。

ルールを破ったことに対して、あちこちからシーッという抗議の声があがったが、そんなことを気にしている場合ではない。なにが起こったのかを知るのが先決だ。

召使いは目を大きく見開いて、あとずさりしている。クロウは笛を吹くしぐさをした。警察を呼んでこいということだ。召使いはうなずき、ふりかえって、走りはじめた。

クロウはシャーロックの腕をつかんで応接室に引きいれると、すぐにドアを閉めた。ドアノ裏側には分厚い詰め物がほどこされている。話し声が外にもれないようにするためだろう。

マイクロフトは後ろにさがった。その顔には依然として困惑の表情があり、手にはまだナイフが握られている。

「ど……どういうことかさっぱりわからない」

「しっかりしろ」と、クロウは言った。「なにがあったんだ。最初からすべてを話すんだ」

「ぼくは……ぼくはあなたたちを待っていたんです。そうしたら、ドアをノックする音がして、召使いのブリネルが名刺を持ってきたんです。ぼくに会いたいという者が来ているとのことでしたが、名刺に記されていた名前に見覚えはありませんでした。それで、追いかえしてもらおうと思ったとき、名刺の裏になにか書かれていることに気がついたんです。そこに書かれていたのは、きわめて重要な意味を持つ言葉でした。ですから、ブリネルにその人物をここに連れてくるように命じたのです」

マイクロフトは言葉につまり、眉間にしわを寄せ、あらためて記憶の糸をたぐった。

「ぼくはここで待っていました。しばらくするとノックの音が聞こえたので、黙ってドアをあけにいきました。これはディオゲネス・クラブの決まりです。声を出すことは許されていません。それで、ドアをあけると、ひとりの男が立っていました」

クロウは椅子にすわっている男を指さした。

「この男かね？」

マイクロフトは顔をしかめた。

「そうです。この男です。部屋に通して、ドアを閉め……」

声は尻すぼまりになった。ナイフを持っていないほうの手で頭をおさえている。

「覚えているのはそこまでです。気がついたときには、またノックの音が聞こえていました。さっきとまったく同じことが起きたのです。それで、ドアの向こうには、さっきの男がいるものとばかり思っていたのです。でも、実際そこにいたのはあなたとシャーロックでした。なにがどうなっているのかわけがわからなくなって、ふりむくと、さっきの男は部屋のなかにいました。でも、あんなふうになっているとは予想だにしませんでした」

「念のために確認しておきたい。警察からも同じことを聞かれるはずだ。きみが殺したのかね」

「そのような記憶はありません」

クロウはため息をついた。

「このつぎ同じ質問をされたときは、〝殺していない〟とはっきり答えたほうがいい。もっとも、そんなふうに答えたからといって、状況がそんなによくなるとも思えないが。信頼できる弁護士を知っているかね」

「クラブにおかかえの弁護士がいます。くわしいことはブリネルから聞いてください」

「わかった。きみが逮捕されたら、その弁護士を雇って、すぐに釈放されるようにするから、安心したまえ」

　マイクロフトは死体のほうを向いた。

「それはむずかしいかもしれません。動かぬ証拠があります。それはぼくが犯人であることをはっきりとさし示しています」

「兄さんは殺してない」と、シャーロックは言った。「ここでなにがあったのかは知らないけど、それだけはまちがいない」

　マイクロフトはほほえんで、シャーロックの肩をたたいた。

「ありがとう。その言葉を聞きたかったんだよ」

　部屋の外が騒々しくなった。警察が到着したようだ。

「ナイフはテーブルの上に置いたほうがいい」と、クロウは言った。「警察が部屋にはいってきたときに、凶器を手に持っているのはまずい」

　マイクロフトがテーブルの上にナイフを置くと同時に、ドアがあき、青い制服姿の警官たちが部屋にはいってきた。クロウは前に進みでて、マイクロフトの動きを警官から隠した。

「殺人事件です。死体はあそこです。凶器はテーブルの上にあるナイフだと思います」

「あなたの名前は？」と、責任者らしき男がたずねた。

「エイミアス・クロウ。あなたは？」

「犯罪が起きたとき、あなたはここにいたんですか」

「そのまえに、名前を名乗っていただきたい」

ていねいだが、有無を言わせぬ口調だった。

「巡査部長のコールマンです。よろしい。では、先ほどの質問に答えてもらいましょう」

「ドアの外にいました。この若者といっしょに。召使いが証人になってくれます」

「その若者の名前は？」

「シャーロック・ホームズです」

「すると、部屋のなかにいたのは？」

一瞬のためらいのあと、クロウはマイクロフトのほうにあごをしゃくった。

「こちらの紳士です」

コールマンは前へ出て、マイクロフトにたずねた。

「それは本当かね」

マイクロフトはうなずいた。

「ええ、ぼくはこの部屋にいました」

「きみの名前は?」

「マイクロフト・ホームズ」

「きみが殺したのかね」

「いいえ、ちがいます」

きっぱりとした口調だったので、コールマンは一瞬たじろいだように見えた。

「残念ながら、きみを逮捕しなければならない。署までご同行ねがおう。宣誓の上、質問に答えてもらう必要がある」

コールマンは死体にちらっと目をやってから同僚のひとりに言った。

「ナイフを持っていけ。証拠品として判事に提出しなきゃならない。それから検視官を呼んでくれ。きょうはマードックが出勤しているはずだ」

警官のひとりがナイフの柄をつまんで持っていった。もうひとりはマイクロフトの肩をつかんで、応接室から引っぱりだした。

「クロウ先生……」

「おちつくんだ。感情に流されちゃいけない。きみのお兄さんの疑惑を晴らし、刑務所にいれられないようにするには、迅速かつ正確に行動することが必要になる。こういうときには感情的になっちゃいけない。感情は判断力をにぶらせる。どういう意味かわかるな」

シャーロックは大きく息を吸いこんだ。

「ええ、わかります」

「悲しみもショックもいまは強引におさえこまなきゃならない。毛布にくるんで、きつく縛りあげ、心の奥にしまいこむんだ。完全に忘れてしまえと言っているわけじゃない。いまだけだ。問題が解決したら、好きなだけ感情に身をひたせばいい。でも、いまはなんとかして感情をおさえこむんだ。わかったな」

「わかりました」

シャーロックは目を閉じ、クロウに言われたとおりにしようとした。心のなかで火の玉のように燃えあがっている感情のうずを不燃性の黒い布でくるむ。暗闇のなかからロープと鎖があらわれると、それで布をグルグル巻きにする。つぎに、そのかたまりを心の淵にゆっくりと沈めていき、底まで達したら、上からふたをかぶせる。

目をあけて、息を吸いこむと、だいぶ気分がよくなった。もうとり乱してはいない。感情は心の奥底にしまいこんである。いまそれを感じることはない。必要ならいつでもとりだせるが、少なくともいまはそんなことをしようとは思わない。

「気分はどうだ？」

「もうだいじょうぶです。ぼくたちはこれからなにをすればいいんでしょう」

「とりあえず死体と部屋を調べる必要がある。わたしは死体を調べる。きみは部屋を調べてくれ」

「わかりました。でも、どうして警察は死体をそのままにしていったんでしょう」

「警察は単純な答えを望むものなんだよ。ふたりの人間が密室にいた。そのうちのひとりは死んでいて、もうひとりは生きている。としたら、答えはいたって簡単だ。わたしだって、きみの兄さんのことをよく知らなければ、彼らと同じように考えていただろう。警察にしてみれば、容疑者の身柄は確保したし、ナイフという動かぬ証拠もある。もうひとりの男は死んでいるので、検死官がやってきて運びだすまで、どこにも行かない。われわれにとってはありがたい話だ。警察がここをどんなふうに調べるのかはわからない。でも、われわれはそのまえになにかを見つけだすことができるかもしれない。さあ、おしゃべりはこのへんにして、仕事にとりかかろう」

　クロウが死体を調べはじめると、シャーロックは部屋のすみに歩いていった。なにをさがしたらいいかはわからない。としたら、ふつうとちがっていると思えるものをさがすしかない。

　壁には数枚の絵がかけられている。椅子を壁ぎわに持ってきて、その上にあがり、絵をつるすためのレールを調べる。つぎに床に身をふせて、絨毯の上を注意深く見てまわる。もしかしたら、だれかの手やポケットからなにかが落ちて、絨毯の毛のすきまに埋もれているかもしれない。

しばらくしてクロウの声が聞こえた。

「なにか見つかったかい」

「いいえ、いまのところはなにも」

周囲をきょろきょろと見まわしながら部屋のなかを歩きまわり、テーブルの近くまで来たとき、その下になにかがあることに気がついた。細長い革の箱だ。まるでだれかがあわてて隠したみたいに、テーブルの足の向こうに置かれている。

その箱をとって、テーブルの上に置く。

「こんなものが見つかりました」

クロウは死体ごしに目をこらした。

「木に革を張ってあるようだな。ちょうつがいと鍵と足は真鍮でできている。とくに変わったところは見あたらない。足に傷はついていないし、取っ手もすり減っていない。どうやら新しいもののようだ。おや……見えるかね。この箱の取っ手には、糸が巻きついている。たぶん値札がついていたんだろう。値札は引きちぎられ、糸だけが残ったというわけだ」

箱に手をのばして、取っ手をまわすと、カチッという音がした。

「うまいぞ。鍵はかかっていない」

クロウはふたをあけた。

箱の内側には、赤い布が張られている。絹かサテンだろう。布には分厚い詰め物がほどこされている。

「詰め物にふたつのへこみがある」

クロウはそこを指さした。つまり、その箱のなかには、ふたつのなにかがはいっていたということだ。

「へこんだ部分のかたちがあいまいなので、そこになにがはいっていたのかはわからない。でも、ふたつのなにかが別のかたちをしているのはたしかだ」

「片方のへこみのまわりが変色していますね。少し黒っぽくなっています」

「繊維がすり切れているのかもしれない」

「でも、箱は新しい。買ったばかりのように見えます」

「たしかに」

クロウは手をのばして、布に手をふれた。

「少し湿っている。このなかにあったのは、液体のはいった小さな瓶かもしれない。そこから中身がこぼれたんだろう」

「それはなんだったのでしょう」

「さあ、いまの時点ではまだわからない。あとで検討してみよう」

クロウは箱のふたを閉じて、部屋を見まわした。

「壁に隠し扉があるかもしれない。板の向こうが空洞になっているとしたら、だれにも見られずに、部屋にはいったり、出たりできる」

「そのことはぼくも考えました。でも、ちょうつがいも継ぎ目も見あたりませんでした。念のために、壁をたたいて調べてみましょうか」

「いいや、目で見るだけで十分だ。絨毯はどうだった」

「なにも見つかりませんでした。毎日ていねいに掃除をしているようです」

「ということは、手がかりはなにもないってことか」

「ひとつだけ……」

「どういうことだね」

「絨毯が湿ってるんです。ここです。冷たいような感じもします」

クロウはふりむいて、シャーロックの顔を見つめた。

「絨毯(じゅうたん)が湿(しめ)っている?」

「そうです。だれかがなにかをこぼしたのかもしれません」

クロウは眉(まゆ)をつりあげた。

「興味深い。この箱には、小さな瓶(びん)がはいっていたと思われる。その瓶(びん)からこぼれたと思われる液体のあともある。だが、かんじんの瓶(びん)がない。そのなかにはいっていた液体もない。どうもおかしい。筋が通らない。逆に言うと、だからこそ、注意を払(はら)う必要があるってことだ」

「それはなにを意味しているのでしょう」

クロウは肩(かた)をすくめた。

「わからない。その点についても、あとでゆっくり考えてみよう。まあいい。調べなきゃならないことはほかにもある。ひとつの手がかりが見つかったら、それでおしまいってことにはならない」

つぎの十分間で、シャーロックは部屋の残りを隅々(すみずみ)まで見てまわった。部屋をちょうど一周しおえたとき、クロウのほうも死体を調べおわっていたらしく、そこから少し後ろにさがったところで部屋を見まわしていた。

「なにかわかりましたか」

クロウは眉をすくめた。

「たいしたことじゃないが、わかったことはいくつかある。まず最初に、この男は健康じゃなかったということ。最近、体重が激減し、医者にかかっていたようだ。それから、こんなものが見つかった」

クロウはふたのところにバネ式のボタンがついた小さなガラスの瓶をとりだした。

「調べてみないとわからないが、たぶんなにかの薬がはいっていたのだろう」

「見てもいいでしょうか」

瓶の大きさはシャーロックの親指くらいで、なかにはなにかの液体がほんの少し残っていた。ボタンを押すと、液体が瓶の横の小さなノズルから吹きでるようになっている。

ノズルを鼻に近づけると、いやなにおいがした。どこかでかいだことがあるような気がする。でも、どこでだったかは思いだせない。

「服装からすると、紳士のように見える」と、クロウは言った。「でも、腕には紳士らしからぬ入れ墨をしている」

シャーロックは瓶をポケットにしまい、クロウの横に歩いていった。死んだ男はやせていて、頬に毛細血管が浮きあがっている。頭を後ろにのけぞらせ、赤く充血した大きな目を天井に向けている。肌の色は白いが、もともとそうなのか、死んでいるからなのかはわからない。

白いシャツの前は赤黒くなっている。血はもうすでにかたまりつつある。ちょうど心臓のところが破れている。そこにだれかがナイフの刃を突き刺したのだ。

それはだれなのか？

シャーロックは身を乗りだした。布の裂け目がどうも気になってしかたがない。なにかがおかしい。それはいったいなんなのか。

「どうかしたのかい」と、クロウは聞いた。

「兄が持っていたのがどんなナイフだったか思いだそうとしているんです」

「残念ながら、わたしはよく見ていなかった」

「たしかペーパーナイフみたいな細いものでした。でも、このシャツの裂け目はそんなに小さなものではありません。少なくとも、兄が持っていたナイフの幅よりはずっと広い」

「なるほど。たしかに胸の傷あとはずいぶん大きかった。ということは、使われたナイフもそれなりに大きなものでなきゃならない。でも、さっき警察が持っていったナイフが、きみの言うように小さいものだったとすると……それも筋が通らないもののひとつだ」

「この男が抵抗したからということは考えられないでしょうか。それで、シャツの裂け目や胸の傷がナイフの刃より大きなものになったということにならないでしょうか」

少し間があった。

「可能性はある。そういったことは実験をしてみるのがいちばんだ」

「えっ？　だれかにナイフを突き刺し、抵抗してもらうってことですか」

クロウは笑った。

「まさか。たとえば、死んだブタにシャツを着せ、それを揺すりながら、ナイフで刺すんだ。そうすれば、このシャツの裂け目と死体の傷あとを再現することができる。推理には限界がある。なによりも大事なのは証拠だ」

クロウはドアに手をやった。

「さっきの召使いをさがして、ここに連れてきてくれないか。名前はたしかブリネルだったと思う。いくつか聞きたいことがある」

シャーロックは応接室から出た。クラブの会員たちがあきらかにいらだたしげな視線を投げてくるのがわかる。みんな警察が来たことは知っている。ここでなにか異常なことが起きていることに気がついていないはずはない。それなのに、みんななにごともなかったかのようにふるまっている。

シャーロックはできるだけ物音をたてないように注意しながら、緑色のひじかけ椅子のあいだを歩いた。兄はどうしてこのようなクラブをつくったのか。こんなに退屈な場所はほかにないだろう。もちろん、本来なら殺人事件が起きるような場所ではない。

ブリネルはホールにいた。心配そうな顔つきをしていたが、シャーロックが話しかけようとすると、指を唇（くちびる）にあててそれを制した。

そこで、シャーロックはブリネルを指さし、それから後ろの応接室を指さした。

ブリネルはうなずくと、シャーロックの前を通りすぎ、その先のドアの向こうに消えた。そして、すぐにもうひとりの男を連れてもどってきた。やはり召使（めしつか）いの制服を着ているが、こちらのほうは年配で、髪（かみ）も薄（うす）い。なにかあったときのために、仲間をそこに立たせておくことにしたのだろう。

ブリネルを連れて応接室にもどったとき、クロウは先ほどとまったく同じ場所に立っていた。

シャーロックがドアを閉めると、クロウは言った。

「手間をとらせて悪いね。今回のことで、きみにはいろいろ迷惑（めいわく）をかけることになると思う。まさかこんなところで殺人事件が起きるとは思わなかっただろう」

「ええ、そりゃもう。本当にびっくりしています」ブリネルは答えて、死体にちらっと目をやった。「あとかたづけもたいへんですし……」

「きみがこの男をここに案内したのかね」

「さようでございます。わたくしがお連れいたしました」

「ここにやってきたときの様子を教えてもらえないだろうか」

ブリネルは少し考えてから答えた。

「みなさまがたと同様、玄関のドアからはいってきて、それから名刺をさしだしました。その名刺の裏には、ホームズ様のお名前と、意味不明の言葉が書かれていました」

「それはどんな言葉だったんだね」

ブリネルは眉を寄せた。けんめいに記憶の糸をたぐっているのだろう。

「別のクラブの名前だったのではないかと思います。でも、よくは覚えていません。最初は、場所をまちがえたのだろうと思ったのですが、そこにホームズ様のお名前があったものですから」

「ということは、その男はこのクラブの決まりを知っていたということだね。だから、話をしなかった」

「おっしゃるとおりだと思います」

「そのあと、きみはどうしたのかね」

「名刺をトレーにのせて、ここにお持ちいたしました。ホームズ様はここでどなたかをお待ちになっておられましたが、どうやらこの方ではないようでした。ですから、てっきり会わないとおっしゃると思っていたのです。ですが、名刺を裏がえし、そこに書いてあった言葉をお読みになると、とつぜん気が変わったらしく、〝通してくれたまえ、ブリネル〟とおっしゃいました。そこで、わたくしはホールにもどり、その方を部屋にお通ししたのです」

「われわれがここに来るまでのあいだに、なにか物音や声を聞いていないか」

「いいえ、なにも聞いていません」

クロウはうなずいた。

「その男から受けた印象を話してもらえないかね。きみの意見が聞きたい」

ブリネルは眉をしかめた。

「いいえ、わたくしはそのようなことを申しあげる立場にはございません」

クロウは片手をあげた。指のあいだに銀貨が光っている。

「きみの意見が必要なんだ。だれにも言わない。ここだけの話だ」

少し間があった。

「そのようなものをいただくわけにはまいりません。わたくしはホームズ様を敬愛しております。本当におやさしい方で、いつもよくしていただいております。ホームズ様をお救いするためなら、どんなことでもするつもりです」

「ありがとう」

銀貨はいつのまにかクロウの大きな手のなかに消えていた。

「そうですね。ホームズ様を訪ねてきた方は身分不相応な身なりをされていたように思います。どういう意味かおわかりでしょうか」

「よくわかる。正直に答えてくれてありがとう」

「そのひとは手になにか持っていませんでしたか」と、シャーロックはだしぬけに聞いた。

クロウはうなずいだ。

「いい質問だ」

ブリネルはまた眉（まゆ）を寄せて、記憶（きおく）をたぐった。

「革の箱をお持ちでした。とても大事なもののようで、クロークでおあずかりしますと申しますと、とんでもないという身ぶりをなさいました。たぶん、それはホームズ様とお会いする際にどうしても必要なものだったのでしょう」

「なるほど。とても参考になる」

そのとき、ドアが開いて、さっきここにいた警官のひとりが部屋にはいってきた。

「スコットランド・ヤードまでご足労いただけないだろうかと、コールマン巡査（じゅんさ）部長が申しております。お話をうかがいたいそうです」

「喜んで。捜査の進み具合がどうなっているのか興味がある」

警官は笑った。

「捜査？　そんなものは必要ありませんよ。犯人の身柄はもうすでに確保できているんですから」

警官にうながされて、ふたりは応接室から出た。ブリネルはなにか言いたげな顔をしてシャーロックに歩み寄り、一枚の紙切れを手わたした。見ると、そこにはオービル・ジェンキンソンなる弁護士の住所が記されていた。さっき話に出たクラブのおかかえ弁護士だろう。

シャーロックはブリネルにほほえみかけて、感謝の気持ちを伝えた。

建物の外に出て、警官といっしょに歩道を歩きながら、シャーロックはクロウのほうを向いて、少しまえから頭のなかで渦を巻いていた疑問を口にした。

「ぼくたちが兄さんの無実を証明できなかったら、どうなるんでしょう、クロウ先生」

「裁判で有罪になったら、首に縄をかけられることになるだろうね」

4

ボウ通りの警察署と治安判事裁判所は、コベント・ガーデンの近くの通りの角にある。そこに向かいながら、シャーロックは白い石でできた四角い建物を見まわして、細部まですべてを記憶に刻みこんだ。きょうの兄のことは関係なく、この建物は自分の人生のなかでとても重要なものになるような気がしてならない。

壁には突きでた石が横一列にならび、上端は凸凹になっていて、警察署というよりむしろ中世の城のように見える。見ているうちに、口もとがほころんできた。マティがここにいたら、石の壁をはしごがかかっているようにすいすいとのぼっていくかもしれない。出入口のドアは通りと同じ高さのところにあり、石段はついていない。建物の外側には白いランプがかけられている。

エイミアス・クロウはそれを見て、顔をしかめ、警官のほうを向いた。

「場所をまちがえていないかね。この国の警察署には白ではなく、青いランプがかかっているものとばかり思っていたが」

「以前はそうでした。七年前までです。女王陛下が青いランプはいやだとおっしゃいましてね。夫のアルバート公が亡くなったのが青い部屋だったからです。この先にあるオペラ・ハウスに行かれるたびに、青いランプを見て、つらい思いをなさっていた。それで、ランプをとりかえてくれないかとお頼みになった。そう、お頼みになったんです。でも、実際は命令でした。ランプをとりかえなければ、警視総監がとりかえられていたでしょう」

「おかしいと思わないかね。ひとりの女性がそんなに大きな権力を持っているのに、一般の女性には投票する権利も、財産を持つ権利も認められていないなんて」

　警官に案内されて、ふたりは玄関ホールにある受付の大きな机の前を通りすぎ、建物の奥にはいっていった。警官や刑事たちが忙しげに行ったり来たりしている。ふたりが向かったのは、廊下を進み、角をまがり、階段をあがったところにある部屋だった。そこには、テーブルと三つの椅子が置かれているだけで、緑色に塗られたレンガ壁はひどく陰気に見える。

「ここでお待ちください。まもなく巡査部長がまいります。部屋の外には出ないようにしてください」

警官が部屋から出ていくと、クロウは椅子にどっかと腰をおろした。椅子は粗末なもので、悲鳴のようなきしみ音をたてている。

「気楽にかまえたほうがいい。巡査部長はすぐには来ない。われわれがいらいらし、早く話をしたいと思うようになる頃あいを見はからってやってくる。もっとも、わたしだったら、ふたりから別々に話を聞くと思うがね」

シャーロックはクロウの横の椅子にすわった。

「どうしてです」

「別々に質問すれば、ふたりの答えを比較できるからだよ。ふたりの答えがちがっていたら、どちらかがまちがっているか、嘘をついているということになる。ふたりが同じ場所にいると、おたがいに相手の答えを聞いているから、それに話をあわせることが可能になる」

クロウは椅子の背にもたれかかり、目を閉じ、光をさえぎるために帽子のつばをさげた。

シャーロックは室内をざっと見まわした。興味をひくようなものはなにもない。わざと味も素っ気もなくしているのだろう。

ふと気がつくと、兄のことを考えていた。いまどこにいるのかはわからないが、ここよりひどいところであるのはまちがいない。

十五分ほどして、ドアがようやく開き、コールマン巡査部長が部屋にはいってきた。手にノートと鉛筆を持ち、椅子にすわるまえに話しはじめた。

「いくつか確認しておきたいことがあるだけです。今回の事件はさほどむずかしいものではありません。単純明快です」

クロウは帽子をとって、眉をつりあげた。

「そうでしょうか」

「事実は否定しようがありません。まちがっていたら、指摘してください。部屋には内側から鍵がかかっていた。出入口はひとつしかない。部屋のなかにはふたりの男がいた。部屋の鍵をあけたら、ひとりが死んでいて、もうひとりがナイフを手に持っていた。どこかおかしなところがありますか」

「ナイフには血がついていませんでした」と、シャーロックは言った。

「シャツでぬぐいさったと考えれば簡単に説明はつく」

「シャツに血を拭きとったあとが残っていることを確認したんですか。それともただの仮定ですか」と、クロウが聞いた。

「シャツに血がついていたことはだれにも否定できんでしょう」

「傷口からふきだした血がついていたのは事実です。でも、それがナイフについていた血だという証拠はあるんですか。拭きとった血と、吹きだした血とでは、あとのつき方はちがうはずです」

「どうでしょう。血は血です。そもそも、ナイフはひとつしかないんです。それより質問に答えていただきたい。あなたたちはあそこになにをしにいったんです」

「ぼくたちは兄といっしょに昼食をとる予定だったのです」と、シャーロックは冷静に答えた。

　コールマンはノートにメモをとりながら言った。

「ということは、事前に計画された殺人ではなかったことになる。だれかが訪ねてくることになっている時間に、ひとを殺す計画を立てる者はまずいない。つまり、これは衝動的な犯行ということになる」

「動機は?」と、クロウがたずねた。

　コールマンはノートから顔をあげた。

「動機などいくらでも考えられます。仕事上のいざこざとか、女性のとりあいとか。いずれにせよ、たいしたことじゃありません。大事なのは殺人事件があり、犯人がつかまったということです。判事が関心を寄せるのはその点だけです。ところで、おふたりの住所氏名を教えていただけませんか。調書を作成する必要がありますので」

クロウは答え、コールマンがそれをていねいに書きとった。

そのあと、コールマンは立ちあがるためにテーブルに両手をついた。もう用はないということだろう。まるで列車に乗っているようなものだ。あらかじめ敷かれたレールの上を走っているだけで、途中で下車することもできないし、行き先を変えることもできない。

シャーロックはあわてて言った。

「兄に会わせてもらえないでしょうか。ほんの数分でいいんです」

コールマンが疑うような目をしたので、クロウが噛んでふくめるように言った。

「会って、どんな害があるというんです。ふたりは兄弟なんですよ。弟に会ったら、気持ちがほぐれて、自白しようという気になるかもしれない」

シャーロックはびっくりして、横目でちらっとクロウを見た。コールマンから見えないほうの目がウィンクをしている。

コールマンはまたしばらく考え、それからしぶしぶ答えた。

「まあいい。害にはならないでしょう」

コールマンはドアをあけた。その向こうには、ふたりをディオゲネス・クラブからここまで連れてきた警官が立っていた。

「このふたりを容疑者のところへお連れしろ。十分間だけ面会を認める。面会がおわったら、正面玄関までご案内するように」

それから、コールマンはクロウとシャーロックのほうを向いた。

「お手間をとらせましたね。もちろん、わたしの仕事が世間からうとんじられていることは知っています。でも、いいですか。犯罪をおかす者がいなくなれば、われわれも必要なくなります。そのときが来たら、わたしは家業をついで手芸用品店をはじめることにしますよ」

コールマンが部屋を出ていくと、さっきの警官があとについてくるよう身ぶりで示した。

建物のなかは迷路のようになっていて、いくつもの廊下をぬけ、いくつもの階段をおりて、ようやく地階に出た。壁は未塗装のレンガがむきだしになっていて、タイル張りの床には黒光りする水がたまっている。廊下の両側には、金属製の扉がならんでいる。廊下を三分の一ほど進んだところで、警官は立ちどまると、ベルトから鍵のついた輪をとりはずし、扉の錠をあけた。

「十分だけですよ。わたしはここで待っています。なにかあったら呼んでください」

シャーロックは先に監房にはいり、クロウがそのあとにつづいた。

マイクロフトはひざの上で手を組み、片側の壁ぎわに置かれたベンチにすわっていた。

それまで目をつむっていたみたいだったが、シャーロックが来たことに気づくと、目をあけた。

奥の壁の上には、鉄格子のはいった小さなガラス窓があり、そこから光がさしこんでいる。おそらく、窓の向こうには道路があるのだろう。監房が狭く、三人はいると、いっぱいになる。ベンチのほかにすわれる場所はなかったので、シャーロックとクロウは立ったまま話をせざるをえなかった。

「ようこそ」と、マイクロフトは言った。「むさ苦しいところで恐縮です」

クロウはまわりを見まわした。

「いや、なかなかいいところだよ。わたしが最初にイギリスに来たときに乗った船は、こんなものじゃなかった」

「そうかもしれません。でも、船が港にはいれば、外に出られます」

「お説ごもっとも。でも、わたしの場合は船の運賃を支払う必要があった。ここは無料だ」

「どうしたんです、ふたりとも」と、シャーロックは言った。「冗談を言っている場合じゃないでしょ」

マイクロフトはうなずいた。

「わかってる。でも、こういう状況だからこそ、心に余裕を持たせることが必要なんだよ」

「体の具合はどうなの」

マイクロフトはぶるっと身震いをした。

「気分はあまりよくない。頭がガンガンしている。まさかこんなところに連れてこられるとは思わなかったよ。精神的な負担は大きい。クラブから百メートル以上はなれることなんて、めったにないからね。職場も住まいもクラブのすぐ近くにある」

それから、マイクロフトはクロウのほうを向いた。

「なにかわかりましたか？　あの殺人事件がどんなふうに行われたか、ぼくもいろいろ考えて、七通りほどの仮説を立てたんですが、それを裏づけるためのかんじんの証拠がなにもありません」

「きみを訪ねてきた男は革の箱を持っていた」

「それは覚えています」

「箱の内側には詰め物がほどこされていた。そのなかには、ふたつのなにかがはいっていた。そして、そのひとつのまわりには、液体がついていた」

マイクロフトは眉を寄せた。

「どんな液体です。においはありましたか。べとついていましたか」

クロウは首をふった。

「いいや、においはなかった。水のようだった」

「部屋のなかに濡れたところはありませんでしたか」

「あった。シャーロックが見つけたんだよ」

マイクロフトはうなずいた。

「やっぱりね。それで決まりです」

クロウもうなずいた。

「そのとおり。でも、証拠は消えてしまった」

シャーロックは手を握りしめた。

「いったいなんの話をしてるんです。それで決まりですってどういうことなんです」

クロウとマイクロフトはおたがいの顔を見あわせた。マイクロフトが手ぶりでクロウに説明をうながした。

「いくつか確認しておこう。あの部屋にもうひとりの人物がいたという可能性はない。窓もなければ、隠れられる場所もないんだからね。もちろん、われわれも見ていない」

「ええ、そのとおりです」

「きみのお兄さんはあの男を殺していない」

「もちろんです」

「ということは、自殺だということにならないかね」

「なんですって」

「自殺なんだよ。部屋にはふたりの男がいた。そのうちのひとりは死んだ。もうひとりの男に殺されたわけでない。としたら、必然的に自殺ということになる」

「でも……でも、兄さんはナイフを持っていました」

「でも、それはただのナイフだ。いいかね、死んだ男が持ってきた箱には、ふたつのものがはいっていた。ひとつはきみの兄さんが持っていたナイフだ。でも、そのナイフには血がついていなかった。ということは、それは犯行に使われたものじゃないということだ」

「でも、ほかにナイフはありませんでした」

　マイクロフトが口をはさんだ。

「箱のなかには湿（しめ）ったところがあった。絨毯（じゅうたん）の上にもやはり湿（しめ）ったところがあった。そこは冷たかったはずだ」

　シャーロックは思いだして、そこではっと気がついた。

「たしかに冷たかった。なるほど。氷だね。それは氷でできたナイフだったんだね」

「そのとおり」と、クロウは言った。「箱にはいっていたもののひとつは、氷でできたナイフだったんだよ。詰め物がはいっていたのは氷が溶けるのを防ぐためだ。おそらく箱も冷やしてあったんだろう。でも、少しは溶けて、箱の布にしみこんだ」

「あの男が部屋にはいってきたあと、ぼくはなぜか気を失ってしまった」と、マイクロフトは苦々しげに言った。「どうしてそうなったのかという点については、ひとまず置こう。とにかく、ぼくが気を失っているあいだに、その男はぼくの手にナイフを握らせた。それから椅子にすわって、氷のナイフで自分の胸を突き刺した。そのあと、最後の力をふりしぼって、なんとか氷のナイフを胸から引きぬくと、床に放り投げた。部屋はあたたかいので、氷のナイフはすぐに溶けて水になった」

「もちろん、ナイフを引きぬくまえに死んでしまう可能性もあった」と、クロウが言い添えた。「だが、その場合にでも、体に残っている体温で氷はすぐに溶けたはずだ」

「でも、どうしてふたつのナイフを使わなければならなかったのでしょう」と、シャーロックは聞いた。「本物のナイフで自分の胸を刺して、そのままにしておけばいいのに」

「きみのお兄さんに逃げ道を与えたくなかったということだろう。ナイフが刺さった死体といっしょに発見されたら、いま助けを呼ぼうとしていたところだったと主張することができる。でも、手にナイフを握っているところを発見され、しかも傷口にナイフが刺さっていなかったら、言いのがれはできない」

「みごとだ」と、マイクロフトは認めた。「だれがそういう筋書きを考えたのか知らないが、おそれいったよ」

「でも、どうして自殺しなきゃならなかったんです」と、シャーロックはいらつきをおさえながら聞いた。「理由はなんなのです」

「その点に関しては推測の域を出ない」と、クロウは答えた。「死んだ男は貧しく、しかも病気だった可能性があるということを覚えているね。やせていて、顔色が悪く、おそらくは医者にかかっていた。肺病が癌かなにかで、余命はいくらもないと言われていた。そこへだれかが姿をあらわし、取引をもちかける。死期を数週間早めてくれたら、その代償として家族に大金を支払うというわけだ。男は家族のために取引に応じることにした。そして、上等のスーツをあつらえてもらい、本物のナイフと氷のナイフがはいった箱をわたされて、なにをどうすればいいかという具体的な指示を受けた」

「そこでさっきの問題です」と、マイクロフトは言った。「どうやってぼくの意識を一時的に失わせて、手にナイフを握らせたのか」

「なにか覚えていることはないかね」

　マイクロフトは目を閉じ、記憶をたどりながら言った。

「男が部屋にはいってきて、テーブルの上に箱を置いた。咳をしていた。それで、ぼくはだいじょうぶかと聞いた。すると、男はだいじょうぶだと答えて、呼吸が楽になる薬を持っていると言った。そして、上着のポケットから小さなガラスの瓶をとりだした。ふたの部分にボタンがついた、変わったかたちをした瓶だ。手を貸してほしいと言うので、ぼくは前に進みでて……そこまでです。気がついたら、ドアをノックしている音が聞こえたんです」

それから少し間があった。

「そうそう。思いだしました。においです。鼻にツーンとくる刺激臭でした」

「たぶん、それはアヘン・チンキだ。顔に吹きかけられたら、少しのあいだ意識不明の状態におちいる。きみが記憶を失ったことは、それで説明がつく。そのあいだに、相手は好き勝手なことができる」

アヘン・チンキ――それはモーペルチュイ男爵につかまってイギリスからフランスに連れていかれたときに使われたのと同じ薬だ。あのときのことはいまでもよく覚えている。意識を失い、記憶が飛び、おかしな夢を見た。不思議な感覚だった。けだるく、いい気分でさえあった。でも、そんなことはどうだっていい。いまはそんなことを考えている場合ではない。

クロウは説明をつづけた。

「それは病気の痛みをやわらげるための薬でもある。薬なら、万一、警察や検死官に見つかっても、不審に思われることはない」

「その瓶はいまどこにあるんです」と、マイクロフトが聞いた。

「シャーロックが持っている。警察に持ちかえられて、なくされてしまうよりいい」

マイクロフトは思案顔でうなずいた。

「それで一時的にひとの意識を失わせることができるとしたら……じつに興味深い。いろいろなところで応用がきく」

シャーロックは考えを整理しながら言った。

「よくわかりました。これで犯行の経緯があきらかになったわけですね。すべての事実を矛盾なくつなぎあわせることができます。つぎの問題は、なぜかってことです。なぜこんなことをしなきゃならなかったのか」

マイクロフトは肩をすくめた。

「ぼくは外務省の役人として、いまいくつかの国の政府と激しくやりあっている。交渉を有利に進めるために、ぼくを排除したいと思う者がいてもおかしくない。以前ぼくがお膳立てを整えた協定が気にいらず、復讐をたくらんでいる者がいるかもしれない」

そこでマイクロフトはなにかを思いだしたらしく、急にむずかしい表情になった。

「あるいは……」

「あるいは、なんだね？」と、クロウが聞いた。

「死んだ男から受けとった名刺です。たしかそこになにか書いてあったはずです。それで、ぼくはあの男に会うことに決めたんです」

　マイクロフトは上着の内側に手をいれ、そこのポケットから名刺をとりだした。

「ジョン・ロバートショー。チェルシーの住所が書かれています。グラスブロウワーズ通りです。おそらくこれは名刺に信憑性をもたせるための偽の住所でしょう」

「それでも調べてみる価値はある」

「そうですね。調べもしないで放りだしてしまう手はありません」

　マイクロフトは言いながら名刺を裏がえした。

「ぼくの名前が書かれています。ぼくに用があるということをブリネルに伝えるためです。そのあとに書かれていた言葉は……」

　マイクロフトが顔をあげた。シャーロックと目があう。

「パラドール評議会」

　シャーロックはぎょっとした。それはモーペルチュイ男爵につかまっていたときに聞いた言葉だ。それがなんであるかは言わなかったが、とても重要な秘密の組織であり、そのために働いているといった話をしていた。

「そうなんです」と、マイクロフトはつづけた。「名刺の裏にこの言葉が書かれているのを見たとき、シャーロックの話を思いだしたんです。それはモーペルチュイ男爵がかかわっていた組織の名前です。それで、ぼくはその男を部屋に通して、話を聞こうと思った。でも、それは罠だったんです」

「きみはその罠に食いついたってことだね」

「弁解になるかもしれませんが、自分の家同然のところにいたので油断してしまったのです」

「しかたがない。こうなってしまったからには、ぐずぐずしてはいられない。まずは弁護士の手配からはじめよう。シャーロック、きみは弁護士の連絡先を書いた紙を持ってるね」

シャーロックはうなずいて、シャツのポケットにいれてあった紙切れをとりだした。

「きみにはこの名刺の調査をまかせたい、シャーロック」

クロウはマイクロフトから名刺を受けとり、それをシャーロックにわたした。その名刺を裏がえすと、たしかにパラドール評議会と書かれている。

「どうすればいいんでしょう」

「名刺のにおいを嗅いでみなさい」

シャーロックは名刺を鼻に近づけた。ほんの少しだけだが、刺激臭がする。

「これは？」

「インクのにおいだよ。その名刺は印刷されたばかりだ。クラブにはいるために、おそらく一枚だけ刷ったんだろう。どのクラブでも、名刺をわたさないと門前ばらいだからね。死んだ男の暮らしぶりはおおよそ察しがつく。自分の名刺を持っているとは考えにくい。それに、謎の雇い主が自分の名刺を使わせる可能性もまずない。としたら、それは最近つくられたということになる。つくられた場所はここからそんなに遠くないはずだ」

クロウはここまで言って、マイクロフトのほうを向いた。

「この近くに印刷屋は何軒くらいあるかね、ホームズ君」

しばらく考えてから、マイクロフトは答えた。

「たしか四軒です。すべてチャンセリー・レーンにあります。簡単な地図を書いておきます」

マイクロフトはポケットからペンとメモ用紙をとりだして、印刷屋のある通りの地図を書いた。

「四軒全部にあたってくれ」と、クロウはシャーロックに言った。「この名刺に見覚えがあるかどうかを聞き、あるという答えがかえってきたら、印刷を頼んだ者の特徴を聞きだすんだ」

「わかりました」

「二時間後にサーボニエ・ホテルの前で会おう。場所は覚えているな」

「ええ、前回ロンドンに来たときに泊まったホテルですね。覚えています」

「よろしい」

そのとき、扉が開き、警官が姿をあらわした。

「時間です。面会は終了です」

「なにも心配することはない」と、クロウは言った。「かならずきみをここから出してやる」

マイクロフトは力なく笑った。

「夕食の時間までに実現することを祈ってますよ。昼食をとりそこねてしまったんです。ここの食事がぼくの口にあうとは思えません」

マイクロフトはシャーロックに手をさしだした。

「おまえにこんな姿を見せたくなかったよ、シャーロック」

シャーロックは兄の手を握った。

「ここにいようと、どこにいようと、兄さんはぼくの兄さんだよ。兄さんはこれまでぼくのために力を尽くしてくれた。こんどはぼくがお返しをする番だ。できるかぎりのことはするつもりだよ」

「おまえならできる。いったんこうと決めたら、石にかじりついてでもかならずやりとげる。それはぼくたちが父さんから受け継いだものだ」

警官が咳ばらいをしたので、シャーロックはクロウのあとからしぶしぶ外に出た。

背後から扉がガシャンと閉まる音が聞こえ、シャーロックはびくっとした。あの音を聞いて、兄がどんな気持ちになったかと思うと、胸がしめつけられる。

コベント・ガーデンにもどると、シャーロックは深呼吸をして、肺いっぱいに新鮮な空気を吸いこんだ。

「すぐにとりかかりますか」

「ああ。きみはチャンセリー・レーンへ行ってくれ。あっちの方向だ。わたしはチェルシーのグラスブロウワーズ通りに行ってみる。じゃ、またあとで」

クロウは後ろを向くと、ふりかえりもせずに歩みさった。ひとりになると、シャーロックは心もとなさを感じた。またロンドンでひとりぼっちになってしまった。前回ここであったことを思いださずにはいられない。

しばらくしてようやくクロウが教えてくれた方向に歩きはじめた。そこには多くのレストランがあり、多くの商店があり、多くの屋台がある。トレーの上に商品をのせて売っている者もいる。りゅうとした身なりの紳士もいれば、ボロをまとった子どももいる。ロンドンには、ありとあらゆる種類の人間がいる。

だれかにチャンセリー・レーンへ行く道をたずねようと思ったとき、そのすぐ先の通りに標識が出ていることに気がついた。そこはこれまで歩いてきたところよりずっと上品な感じのする通りだった。建物にかけられた真鍮のプレートを見ると、弁護士の事務所が軒を連ねていて、ところどころに開業医がまじっていることがわかる。

印刷屋がこの通りに集まっている理由がこれでわかった。弁護士がたくさんいるということは、印刷の需要が多いということだ。

五分ほど歩くと、最初の印刷屋が見つかった。ドアをあけると、なかから、名刺と同じにおいが漂ってきた。鼻にツーンとくるにおいだ。かびのにおいもする。予想外だったのは音だ。印刷機がたてる騒音はすさまじく、それに負けない声をはりあげるのは簡単ではない。

「ごめんくださーい」

男がふりかえった。シャツ姿で、山高帽をかぶっている。もじゃもじゃのひげが、口もとだけでなく、あご全体をおおっている。

「仕事ならないぜ。人手は足りている。帰んな」

「お聞きしたいことがあるんです」

「なんだい」

シャーロックは名刺をさしだした。

「これはここで印刷されたものでしょうか」

男は名刺をためつすがめつした。

「いいや、ちがうな。さあ、帰った、帰った」

男はふりむいて仕事にもどり、シャーロックはすごすごと外に出た。どこの印刷屋もみなこんな調子だったら、あっというまに用はすんでしまう。クロウ先生と会うまで、これから二時間もあるのに。

二番目の印刷屋の主人はもう少し愛想がよかった。このときは作業場の奥のほうまでよく見えた。小さな子どもたちが、大きな金属のハンドルに体重をかけて、小さな金属の文字におおわれた円筒をまわしている。その下には細長い紙が敷かれている。そこに文字が転写されるのだろう。子どもたちのほうもインクまみれで、体が黒と白に塗りわけられているように見える。

シャーロックは名刺を見せて、さっきと同じ質問をくりかえした。印刷屋の主人は笑顔で質問に答えてくれたが、やはり心あたりはないとのことだった。

さがしていたものが見つかったのは三番目の印刷屋だった。

印刷屋の主人は長身で、やせていて、こけた頬に頬ひげをリボンのようにはやしていた。それを見て、エイミアス・クロウが列車のなかで教えてくれたことをふと思いだした。どんな人間にもそれぞれの職業を示す目印がある。としたら、印刷屋の特徴をあらわすものはなにか。爪の下や指のしわにこびりついたインク。印刷機から金属の活字をとりはずす長年の作業でできた指先のふくらみ。てのひらについた長くてまっすぐな切り傷。印刷用紙のはしがこすれて切れたということだろう。いま目の前にいる男にはそういったもののすべてがある。

男はうなずいた。

「ああ、これかね。覚えてるよ。へんてこな注文だったからね。ふつうなら、名刺は四、五百枚ほど注文する。名刺はばらまくものだ。見せて、かえしてもらうものじゃない。それがたったの一枚でいいって言うんだからね」

印刷屋は肩をすくめた。

「こういうのをつくってくれと言って紙きれをよこしたので、そのとおりに刷ってやり、あと一シリング出したらもう百枚刷ってやるって言うと、いらないと答えた……いや、正確に言うと、外で待っていた男に話をしにいき、もどってきてから、いらないと答えたんだがね」

「そのだれかですが、特徴を覚えていますか」

「ああ。偶然だけど、知ってる男だったんだよ。こっちはよく覚えていた。でも、向こうはこっちのことを覚えていなかった。そういうものさ。印刷屋のおやじの顔を覚えてる者はいない」

「ぼくは覚えています。けっして忘れたりしませんよ」

「じゃ、おまえさんは特別だ。わしはここに来るまえに、ドルリー・レーンにある印刷屋に勤めてたんだがね。主として劇場の仕事を請けおっていた。パンフレットとか、ビラとか、ポスターとか。外で待っていた男は、その印刷屋にときどき来てたんだよ。近くにある酒場で、用心棒みたいな仕事をしていたらしい。泥酔した客とか、金を持っていない客とか、けんかをおっぱじめた客なんかを店から放りだすんだ。店の名前はたしかシャフツベリー・タバーンといったと思う」

「その男の人相風体を教えてください」

印刷屋は肩をすくめた。

「チビだ。もじゃもじゃの長い髪で、黒いあごひげをはやし、よれよれのコートを着ていた。仲間からはアストラカンと呼ばれていた。本当の名前は覚えていない」

「ありがとうございます。あなたのことは忘れません。印刷してもらいたいものがあるときには、かならずここに来ます」

シャーロックは意気揚々と通りへ出た。懐中時計を見ると、エイミアス・クロウに会う時間までまだ一時間半ほどある。シャフツベリー・タバーンに行ってみてもいい。そうすれば、クロウ先生に報告できることをさらにひとつ増やすことができるかもしれない。自殺した男を雇った者がだれかがわかったというだけではなく、その居場所を突きとめることができるかもしれない。

通行人にドルリー・レーンまでの道を聞いて、さっそく向かう。そこまではわずか十分の道のりだった。

通りぞいには、劇場と酒場がずらりとならんでいた。曲芸や歌や奇術を出し物にしている演芸場やミュージカルの劇場もあれば、クラシックの演奏会が開かれるコンサート・ホールもある。ウィルマ・ノーマン・ネルーダという女性バイオリニストの演奏が予定されているところもある。それを見ると、バイオリンを教わっていたときのことがなつかしく思えてならなかった。

通りを半分ほど行ったところ、F・C・バーナンド作詞、A・サリバン作曲の「永らく不明の兄弟」というコミック・オペラを上演している劇場があり、シャフツベリー・タバーンはそのとなりにあった。

店の向かい側の家の軒先（のきさき）に腰（こし）をおろして、ドアの枠（わく）に頭をもたせかけ、居眠（いねむ）りをしているふりをして見張ることにした。

四十五分ほどたったとき、長髪（ちょうはつ）にひげ面の小柄（こがら）な男が店から出てきた。印刷屋が話していたとおりのよれよれのコートを着ている。通りの左右を見まわし、それから右のほうに歩きはじめた。

シャーロックはあとを追った。男は自分の家に行こうとしているのかもしれない。そうだとすれば、クロウ先生に報告できることが増える。

男はドルリー・レーンを進み、セブン・ダイアルズを横切り、トラファルガー広場のほうに歩きはじめた。そこにはまえに行ったことがあり、そのあたりのことはよくわかっている。

男はトラファルガー広場を左にまがり、チャリングクロス駅の茶色い建物の前を通りすぎた。その先には、チャリングクロス・ホテルがある。歩くのが速いので、ついていくのは簡単ではない。

オールドウィッチで、こんどは右にまがり、テムズ川のほうに向かっていく。そこにはウォータールー橋がかかっている。男は橋の料金所の前で立ちどまり、係員にコインをわたした。

シャーロックは考えた。このまま尾行をつづけるべきか。それとも、ここで切りあげるべきか。でも、その場合、クロウ先生になんと言えばいいのか。男を見つけたけど、逃がしてしまった？　いや、そんなわけにはいかない。尾行をつづけよう。せめて、橋をわたるのを見とどけて、どちらの方角に向かうかだけでもたしかめておかねばならない。

シャーロックはポケットからコインをとりだした。料金はちょうど一ペニー。急いで料金を払うと、すばやく係員のわきを通りぬけて、尾行をつづけた。

男は後ろをふりかえることもなければ、左右に気を配ることもせず足早に橋をわたっていく。

橋をわたりきると、ウォータールー駅に向かうのだろうと思ったが、男はその手前で左にまがった。

シャーロックは歩行者の後ろに隠れるようにして尾行をつづけた。

男は一度もふりかえることなく、とつぜん通りの右側のアーチ型のレンガの通路の向こうに消えた。

シャーロックはその手前で立ちどまり、崩れかけたレンガに身を寄せて、なかの様子をうかがった。その先は暗い地下道になっていて、男の姿を見ることはできない。

一歩、二歩と前に進みでたが、やはり男の姿は見えない。

尾行はあきらめよう。そう思って、後ろを向いたとき、そこにさっきの男が立っていた。

「どうしておれのあとをつけるんだ。理由を聞かせてもらおう。そのあとは、おまえの悲鳴を聞かせてもらうつもりだ」

⚜ 5 ⚜

シャーロックは腰をまげ、哀れっぽい声で言った。

「お金をめぐんでもらえないかと思って。もう何日もなにも食べてないんです。パンを買いたいんです」

「そんなうそっぱちがおれに通じると思ってるのか。どうしておれをつけていたのか答えろ」

「つけてなんかいません」

男は太い眉をつりあげた。

「おれをだまそうたって、そうはいかねえ。おまえはシャフツベリー・タバーンの前からおれのあとをずっとつけていた。おれが知りたいのはその理由だ」

男はシャーロックを上から下までじろじろと見まわした。

「どうやらスリじゃないようだな。なにをねらってんだ」

「なにもねらってません」

「ロンドン中をつけまわし、ウォータールー橋をわたって、ここまで来たのにか」

「たまたまです」

「ふざけんな。話したくないなら、話さなくてもいいんだ。たっぷり痛めつけてやる。楽しませてもらうぜ。ここんところ、腕が鳴ってしかたがなかったんだ。手荒なまねをするなと雇い主から言われていてな。もう何週間も血を見ていない。うずうずしてくるぜ」

男はポケットに手を突っこみ、そこからふたつの金属のかたまりをとりだした。それぞれに四つの穴があいていて、表面からとがったスパイクが突きでている。

「あててやろう。おまえは地元のならず者に頼まれて、あの店の見張りをしていた。でなけりゃ、おれのことをサツに教えて、こづかいかせぎをしようとしてたんだろう」

男は右手の指にスパイクのついた金属をはめた。

「どっちにしても、代償は高くつくぜ」

男はもうひとつの金属を左手にはめて、両方のこぶしを高くあげた。陽光がスパイクに反射して、きらきら光っている。あんなもので襲いかかられたら、とても勝ち目はない。ちょっと触れただけでも、皮膚はずたずたに引き裂かれてしまう。

「さあ、はじめよう。おれはそんなに暇じゃないんだ。しなきゃならないこともあるし、会わなきゃならない人間もいる」

シャーロックはじりじりとあとずさりした。心臓は大きな音をたてている。男が前に立ちふさがっているので、通りに出ることはできない。としたら、後ろの暗がりのなかに逃げこむしかない。活路はそこにしか見いだせない。

男は冷たい笑みを浮かべて、コートのポケットに片手を突っこんだ。スパイクが引っかかって布が破れたが、気にしている様子はない。ポケットから出てきた手には、数枚の銀貨が握られていた。

男は大きな声をはりあげた。

「このガキをつかまえたら、半クラウンやる。聞こえたか？　半クラウンだ。これだけあったら、一か月は遊んで暮らせるぞ。少しくらいなら怪我をさせてもかまわない。口がきけさえすりゃ、それでいい」

周囲の空気が生命を持っているかのようにざわめき、暗闇が動いた。そこから五つの人影が生まれ、六つの人影になり、十の人影になった。まるで壁からぬけだしてきたか、湿った地面からわきだしてきたみたいだ。みな小さい。シャーロックよりも、マティよりも小さい。ボロ布を身にまとい、肌は泥や油でおおわれている。

子どもだ。そこで暮らしているのだろう。地面に落ちているものを拾って生きているにちがいない。目は大きく、ネズミのように見える。手の爪も足の爪も長くのびていて、泥がこびりついている。口もとには水ぶくれができていて、唇は裂け、歯ぐきは腫れあがっている。歯はほとんどない。残った数少ない歯は黒ずんだり、欠けたりしている。地面に這いつくばって、泥のなかからコインを見つける日々のせいで、背中はまがり、まっすぐ立つことすらできない。腕と足は小枝のように細く、ねじれている。腹は異様にふくれあがっている。ぼさぼさの髪が顔にかかっているので、男女の区別もつかない。汚れと飢えのせいで、みんな同じように見える。

そして、におい！　腐ったようなにおいが全身からしみでている。あまりのくささに周囲の空気が揺れているように見える。

じりじりとあとずさりしながら、シャーロックは思った。彼らはどうしてこんな生活に耐えることができるのだろう。その目にはなんの表情もない。飢えをしのぐためなら、どんなことでもするにちがいない。

時間とともに物の見え方は変わっていた。ついさっきまでは、人間をとって食おうとしている闇のなかの怪物のように見えていたが、いまは腹をすかせたふつうの子どものたちの姿になっている。

感情は恐怖と同情のあいだで揺れ動いている。人間が、それも子どもたちが、どうしてこんな生活をしなければならないのか。そんなことが許されていいのか。どこかまちがっている。

「やめろ。バカなことをするんじゃない！」

シャーロックはあとずさりしながら叫(さけ)んだが、聞きいれてもらえないことはわかっていた。彼(かれ)らにとって、なによりも大事なのは金をもらうことだ。金のためなら、腕(うで)や足の骨をへしおるくらいのことは平気でするだろう。

いや、それだけではすまないかもしれない。

ふりかえって走りだそうとしたが、そこにも、四人――いや、五人の子どもたちが暗がりのなかから音もなくあらわれた。

だれかにそでをつかまれたので、あとずさりすると、布が破れる音がした。

完全にとりかこまれている。

通りからはいってくる光には、長髪(ちょうはつ)にひげ面の男のシルエットが浮(う)かびあがっている。笑い声が聞こえてくる。

おちつかなきゃいけない。取り乱しちゃいけない。考えよう。大急ぎで考えよう。

こんどはひじをつかまれた。それをふりはらったとき、手にべとっとしたものがこびりついた。無意識のうちに、シャーロックは上着で手をぬぐった。

このままだと、いっせいに飛びかかられてしまう。どこかに逃げ道はないだろうか。なにか利用できるものはないだろうか。

壁だ。望みがあるとすれば左側の壁だ。そこにはだれもいない。

シャーロックは走り、壁の一メートルほど手前でジャンプした。レンガが崩れているところに足をかけ、レンガとレンガのあいだのすきまに指をいれる。そうやって上によじのぼっていくにつれて、アーチがのしかかるようにせまってくる。指にかかる負担は大きくなるばかりだ。それでも、のぼれるところまでのぼらなければならない。

下から、子どもたちが同じように壁をよじのぼってくる。

壁の湾曲の仕方からすると、アーチのまんなかあたりまで来たにちがいない。

そこで壁から飛びおりる。子どもたちの頭上をこえて、やわらかい土の上に着地する。よろけながらもなんとか立ちあがると、なにが起こったかみんなが気づくまえに、暗がりのほうへ走りはじめる。逃げ道はそこにしかない。

まわりはすぐに真っ暗になった。後ろから、湿った土の上をはだして走る足音が聞こえてくる。子どもたちが追いかけてきたのだ。

シャーロックは壁にぶつからないように祈りながら走りつづけた。

暗がりに目が慣れてきたのだろう。でなかったら、どこか上のほうから光がもれているのかもしれない。あるいは、トンネルの壁に発光性の苔が生えているのかもしれない。いずれにせよ、しばらくすると、壁がぼんやりと見えるようになってきた。

その片側に別の地下道の入口が見えた。地下道はそこで枝わかれしている。

そっちに向かう。

追っ手から逃げるには、できるだけ多くの分かれ道があったほうがいい。一本道だと、いずれ追いつかれ、つかまってしまう。彼らが半クラウンをもらうだけで満足するとは思えない。あり金すべてを奪いとろうとするのはまちがいない。

その道は行きどまりになっていて、もう少しで黒い壁に激突するところだった。空気のにおいが変わったので、不思議に思って走る速度をゆるめたのがさいわいしたのだ。立ちどまって、手をのばすと、壁までの距離は五十センチほどしかない。もしぶつかっていたら、気を失い、身ぐるみはがされていただろう。

あともどりしたら、追っ手と鉢あわせをすることになる。

絶望的な気持ちになりかけたとき、生あたたかい風が頬をなでた。もしかしたら、ここは行きどまりではないのかもしれない。ここで地下道はまた枝わかれしているのかもしれない。

シャーロックは左のほうを向き、壁にぶつからないように手を前にさしだして、また走りだした。壁(かべ)はなかった。その先になにが待ちうけているのかわからないが、地下道はずっとつづいている。

上のほうからとつぜん大きな音が聞こえてきた。天井から水滴(すいてき)が頭の上にぽたぽたと落ちてくる。轟音(ごうおん)はやまない。列車だろうか？　としたら、ここは線路の下なのか。

もしかしたら、いま聞こえてくるのはファーナム行きの列車の音なのかもしれない。ファーナムに住んでいる者たちの顔が頭に浮(う)かんでくる。もう一度みんなに会いたい。こんな暗いところで、だれにも知られずに死にたくはない。

息がつまりそうになった。この上には、秩序(ちつじょ)正しい平和な世界があって、きちんとした身なりの人々(ひとびと)が行きかっている。この上には、青い空があり、レンガの壁(かべ)があり、大理石の床(ゆか)があり、ガス燈(とう)の明かりがある。

こことはえらいちがいだ。

ここでは、崩(くず)れかけたレンガから水がしたたり落ちている。地面はぐちゃぐちゃで、タールと汚物(おぶつ)と腐(くさ)りかけの植物をまぜたようなにおいがする。ここでは、寄るべない子どもたちが動物とほとんど変わらない生活を送っている。

ここは地獄(じごく)だ。

もうこれ以上は走れない。すわりたい。体を丸くしてじっとしていれば、悪夢はいつか覚める。これは悪い夢にちがいない。世界はもっと美しい秩序だったものであるはずだ。こんなひどいところであるわけがない。

が、やはりこれは現実だ。それはわかっている。あきらめるわけにはいかない。どうしてもぬけださなきゃならない。

兄さんのためにも。

前方に目をこらすと、一筋の光が暗い地下道をななめに横切っているのが見えた。レンガの壁のすきまから、光がさしこんでいるのだ。暗がりに慣れた目には、黄金の輝きのように見える。

よろけながらそっちへ向かう。そこから外に出られるかもしれない。もとのまともな世界にもどれるかもしれない。

期待ははずれた。レンガの壁のすきまは、かろうじて指がはいる程度の大きさしかなかった。光は天井からこぼれ落ちる水に反射してきらきらと輝いている。

腹立ちまぎれにレンガをたたくと、一瞬の間のあと、ぼろぼろと崩れて、かけらが地面に落ちてきた。

崩れ落ちたレンガの向こうで、なにかが動いている。固そうなもので、てかてかと黒光りしている。虫だ。たぶんゴキブリだろう。住まいを破壊されて、逃げまどっているのだ。

見ているうちに、虫はやがていなくなり、壁にはレンガのはがれたあとだけが残った。

シャーロックはおぞけをふるいながら、まわりを見まわした。どのレンガの裏側も、みなこんなふうになっているのだろうか。薄気味の悪い虫たちがくぼみや溝に身をひそめたり、ここにいる子どもたちですら見向きもしないものにたかったりしているのだろうか。

耳をすませると、虫たちがあちこちでうごめいている音が聞こえてきそうな気がする。完全に包囲されている。いっせいに襲いかかられるかもしれない。

こわくなって、大声で叫びながら、シャーロックは走りだした。

十歩ほど遊んだところで、上のほうからなにかが落ちてきた。

それが顔にはりついたので、思わず悲鳴をあげた。虫の群れかもしれない。あるいは、人間のてのひらサイズの大きなゴキブリかもしれない。そこに手をやって、引きはがそうとしたとき、はじめてそれがなにかわかった。人間の手だ。ぬるぬるしている。そして、やわらかい。たぶん女の子の手だろう。さっきの子どもたちのひとりがここまで追ってきて、先まわりをし、レンガの壁にしがみついて待ちぶせていたのだ。

頬に噛みつかれそうになったので、片方の手で首をつかみ、もう一方の手で腕をつかんだ。少女は身をくねらせて逃げようとしたが、その体は小さく、力もない。

シャーロックは一瞬ためらった。相手は小さな子どもで、しかも女の子だ。女の子に乱暴なまねをすべきでないことはよくわかっている。でも、肌には爪が食いこんでいる。選択の余地はない。

衝動的に手をふりほどいて体を押すと、少女は湿った泥の上に倒れた。その目は怒りに燃えあがっている。低い声で毒づくと、つぎの瞬間には暗がりのなかへ姿を消していた。だが、そんなに遠くには行っていないはずだ。近くで機をうかがっているはずだ。

そのとき、ふとマティのことを思いだし、胃になにかがこみあげてくるのがわかった。マティはいつもつぎの食事の心配をしながら必死になって生きている。それとここにいる子どもたちのあいだにどんなちがいがあるのか。ここにいるのは人間の子どもなのだ。吸血鬼ではない。

ふたたび歩きはじめたとき、後ろからあとを追いかけてくる足音が聞こえた。もっと後ろのほうからは、別の子どもたちの声が聞こえてくる。

子どもであろうが吸血鬼であろうが、この際関係ない。逃げ道は見つからない。このままでは生きのびられない。心臓はあばら骨を激しくたたいている。肺は必死に空気をとりこもうとしている。足の筋肉は熱くほてっている。限界は近い。

背後から声が聞こえた。

「命が惜しかったら、金を出せ」

「わかったよ。お金ならある」

「見せろ」

シャーロックは手をポケットに突っこんで、ひとつかみのコインをとりだした。

「ここから連れだしてくれたら、全部やるよ」

暗がりのなかから息をのむ音が聞こえた。

「すげえ。こんな大金、見たことねえ。金持ちなんだな、おまえ」

「お金なんて、命あってのものだからね。頼む。もとのところまで連れていってくれ」

暗がりのなかから、いくつもの足音が聞こえてくる。

「それはやめたほうがいい。あそこは見張られてる。別の道を行ったほうがいい」

「別の道って?」

「ついてきな」

まるで壁のなかから抜けだしたみたいに、とつぜん横に人影があらわれた。背の高さはシャーロックの胸までしかない。だが、目は実際よりずっと年とって見える。これまで見たくないものを、いやというほど見てきたにちがいない。

「きみの名前は?」

シャーロックが聞いたとき、その姿はふたたび暗がりのなかに消えた。

「名前なんかねえよ」

「名前はだれにだってあるもんだよ」

「ここではちがう。名前がなんの役に立つってんだ」

その姿が急に消えたのは、近くに横道があるからなのだろう。少しあともどりすると、案の定、そこに地面から頭の高さまでくらいのすきまがあった。割れ目ではない。人工的につくったものだ。換気口かなにかかもしれない。その向こうから物音が聞こえてくる。

シャーロックは深く息をついて、そのなかにはいっていった。

つぎの五分間は、これまでの人生で最悪のものとなった。体の両側には、いまにも崩れおちそうな湿ったレンガの壁がある。顔の数センチ先からは、虫たちがはいまわる音が聞こえてくる。いや、そういう気がするだけかもしれない。

どこに向かっているかはまったくわからないが、とにかく奥へ奥へと入っていく。レンガが顔や手をこする。クモの糸が髪にからみつく。糸に引っかかっていたものが、シャツのえりの内側に落ち、もぞもぞと動きまわっている。それをたたきつぶしたいという衝動にかられる。

壁を伝って落ちる液体がときおり手に触れる。が、暗闇のなかでは、それがなんなのかわからない。水なら、こんなへんなにおいはしないだろう。ぬるっとしていて、気味が悪い。水ではなくて、ドラゴンの腐蝕性のつばのようだ。地面はドラゴンの舌のようで、歩くとピシャピシャという音がする。歩くのをやめたら、泥のなかに頭まで沈んでしまいそうな気がする。

前を行く少年は、歩くというより、急な坂をのぼっているように見える。手の指と足先をレンガのすきまに引っかけて、泥をまたぎこしている。長年の地下道暮らしで学びとった歩き方だ。まねをすることはできない。

しばらく行ったところで、壁と壁のあいだが急にせばまり、体を横にしないと進めなくなった。胸と背中をレンガがこする。息を吐きだし、できるだけ胸を薄くして、ようやく体が通る。だが、また少し行くと、途中にレンガが前に突きだしているところがあって、それが胸につかえ、そこから先にはどうしても進めなくなってしまった。

息が苦しい。壁のすきまが狭すぎて、わずかな空気しか吸いこめない。

困った。それで後ろにさがろうとしたが、なぜか動けない。無理に体を押しこもうとすると、背中になにか固いものがあたっていることがわかった。さっき通りぬけたときにレンガが動いたのだろう。にっちもさっちもいかない。

叫びたいが、肺にそれだけの空気を吸いこむこともできない。視界に赤い霧がかかりはじめる。胸の鼓動が大きく、不規則になっていく。

そのとき、手首をつかまれ、強く引っぱられた。背中と胸がレンガをこする。レンガがぼろぼろ崩れ、そこから虫が這いだし、ワイン・ボトルのコルクがぬけるように、シャーロックはとつぜん広い場所に出た。

さっきの少年が目の前に立っている。彼が手首を引っぱってくれたのだ。

シャーロックは荒い息をつきながら言った。

「ぼくをほうっていかなかったんだね。ぼくが窒息するのを待って、ポケットからお金をとって逃げることだってできたのに」

「ああ、そうだな。たしかにそういう手もあったな」

その表情からはなにも読みとれない。少年はふりむき、それから首を後ろにまわした。

「行こうぜ。連中はすぐそこまで来てる」

一メートルほど先に、狭い階段があった。少年のあとから階段をあがると、急に開けたところへ出た。

そこには不思議な光景がひろがっていた。

ふたりが立っていたのは、巨大な倉庫のなかだった。多くの大きな箱が高く積みあげられているので、壁はまったく見えない。だが、天井は見える。そこには、すすけたガラスの天窓があり、まぶしい光がさしこんでいる。ずっと暗いところにいたせいで、目を細めないと、なにも見えない。天窓の下には数本の鉄の梁がわたされている。どこか上のほうから、小鳥のさえずりが聞こえてくる。

それにしても、そこに積みあげられた箱はいったいなんなのか。細長くて、はしからはしまで二メートルほどある。幅は狭い。はしから四分の一ぐらいのところが幅がいちばん広く、そこからまただんだん狭くなっている。

考えているうちに、ようやく気がついた。いや、実際のところは最初に見たときからわかっていたのだが、事実を認めたくなかっただけかもしれない。

それは棺だった。

「ここはどこなんだい」

「死体置き場さ。ここからネクロップスに運ばれるんだ」

「ネクロップス?」

そんな言葉は聞いたことがない。

「そう。死人が運ばれていくところだ」

「墓地のことかい? なるほど。ネクロポリスのことだね」

ギリシア語だ。その言葉はディープディーン校で教わった。ネクロポリス――死者の都市。

「そうだ。ブルックウッドってところにある」

ブルックウッド？　ファーナムの近くの町だ。とすると、おじとおばが住むホームズ荘からもそんなに遠くはない。

「どうしてロンドンに埋葬しないんだろう」

「場所がないからだよ。ロンドンの墓地はどこも満杯なんだ。重ねて埋葬するわけにもいかないしね。雨がふり、土が流されて、棺が丸見えになっちゃまずいだろ」

　積みあげられた棺を見ると、側面にチョークで番号が記されている。たぶん、どの棺がどこから来たものかわかるようにするためで、これと同じ数字が記された帳簿がどこかにあるのだろう。

「ここにある棺は空じゃないんだね」

　少年はうなずいた。

「全部に死体がはいってる……だから、いい稼ぎになるんだよ」

「えっ、どういうこと？」

「棺はときどきこわれる。運んでいるときに、地面に落っことしたりして。そのなかにはいってるのは、死体だけじゃない。時計とか指輪とか、いろんなものがはいってる。着ているものもある。上等のジャケットは高値で売れる。以前だれが着ていたのかってことを気にするやつはいない」

聞いているうちに、気分が悪くなってきた。それは自分がまったく知らなかった世界であり、ぜったいにかかわりあいになりたくなかった世界だ。けれども、質問をやめることはできなかった。知らなければいけない。

「棺（ひつぎ）はどうやってブルックウッドまで運ばれるんだい」

「専用列車があるんだよ。ネクロップス鉄道って呼ばれている。この建物の先にホームがある」

「死人のための列車？」

「死人だけじゃない。死人の家族もいっしょに乗りこむ」

少年はほほえんだ。残った歯は一本だけで、しかも虫歯になっている。

「三等席から一等席まである。死んだあとも、金さえ払（はら）えば特別あつかいさ。死んだ人間が列車に乗せられるまえに、どういう扱（あつか）いをされているか、知ったらびっくりするだろうな」

シャーロックはまた周囲を見まわした。床（ゆか）には、棺（ひつぎ）が何列にもならべられ、自分の頭よりも高く積みあげられている。そのすべてに死体がはいっているのだ。小さな町の住民の数くらいはあるだろう。そんなところに立っていると思うと、身の毛がよだつ。

「まあいい。行こう」

少年は首をふった。

「ここから先は、ひとりで行きな」

「わかった。ありがとう」

シャーロックはポケットから一握りのコインをとりだして、わたした。

「気前がいいんだな」

少年は後ろにさがって、指笛を吹いた。

「ここにいるぞ！　つかまえろ！」

「ぼくを助けてくれたんじゃなかったのか」

「助けてやったじゃないか。約束は守った。こんどはあいつらを助けてやる番だ。そうすりゃ、また金をもらえる」

さっき出てきた壁のすきまから物音が聞こえてきた。そっちのほうを無垢と、光に反射して輝いている小さな目が見えた。

シャーロックは前に進みでて、少年の手首をつかみ、ねじあげて、壁のすきまのほうに押しやった。

そして、叫んだ。

「こいつは金を持ってるぞ！　ぼくの金を奪(うば)いとったんだ！」

少年はふりかえってシャーロックを見た。その顔にはあきらかに恐怖(きょうふ)の表情があった。

いくつもの小さな手が暗がりのなかから出てきて、少年の体を引っぱった。悲鳴があがり、それからなぐったり蹴(け)ったりする音と布が引き裂(さ)かれる音が聞こえた。

シャーロックは走った。みんなの注意はそがれている。いまが逃(に)げるチャンスだ。

走ると、息が苦しい。肺は焼けるように熱く、筋肉は悲鳴をあげている。

それでも、なんとか棺(ひつぎ)のあいだを走りぬけることができ、数分後には開けたところに出た。

そこには線路があり、そのはずれに三両編成の列車がとまっていた。クロウ先生といっしょにロンドンに来たときに乗った列車によく似ているが、ちがうところもある。機関車も客車も黒く塗装(とそう)されていて、客車の前と後ろには白い頭蓋(ずがい)骨と交差した骨の絵が描(えが)かれている。

この汽車が走るのは夜だけだろう。こんなものが昼間走っているのを見たら、だれだってびっくりする。もっとも、夜の夜中に、石炭の炎(ほのお)で赤く燃えているように見える機関車が、濃(こ)い霧(きり)のあいだからとつぜん姿をあらわしたら、それはそれでびっくりするだろうが。

シャーロックは首をまわして、積みあげられた棺(ひつぎ)のほうに目をやった。その向こうの暗がりから、いくつもの目がこっちを見ている。でも、もう追いかけてくる気配はない。彼らが明るいところに出てくることはたぶんないだろう。こっちが暗がりのなかにもどることもない。これでおわりだ。

線路は外に通じていて、そこからそよ風が吹きこみ、死体置き場の異臭を拡散させている。わずかだが日の光もはいってくる。

おぼつかない足どりでそっちのほうへ向かいはじめる。

その先には現実世界がある。そこで兄さんは殺人の容疑をかけられている。だが、兄さんは無実だ。そのことをなんとかして証明しなければならない。疲れているし、体のあちこちが痛い。でも、そんなことを言っている場合ではない。兄さんは助けを必要としているのだ。

考えごとをしていたので、一瞬気がつかなかったのだが、長髪にひげ面の男がいつのまにか機関車の前に姿をあらわしていた。

「逃げられると思ったら大まちがいだぞ、小僧」

男は言って、両手をあげた。その指には、鈍く光るものがあった。スパイクのついた金属だ。

「でも、よかった。ガキどもに金をやらずにすんだんだからな」

6

まいった。あれだけ必死に走り、こんなに傷だらけになったのに、結局は逃げられなかった。疲れきっていて、これ以上はなにをする気力も体力も残っていない。

「どうしてぼくがここにいることがわかったんだ」と、シャーロックは聞いた。

「おれがあの狭いすきまを通りぬけたと思うか。いいや、ちがう。抜け道はみなこの死体置き場に通じてるのさ。だから、先まわりして、ここで待ってたんだ。残念だったな。おまえがここに来るのがもう少し遅れていたら、あきらめて帰っていたところだったのに。これでおまえの命はない。でも、そのまえに聞かせてくれ。おまえはどうしておれのあとをつけていたんだ」

男の後ろにある機関車と炭水車のあいだから、帽子をかぶった大きな男が姿をあらわした。

エイミアス・クロウだ。

左手をすばやく男の首にまわして、その手首を右手で握る。ひじが喉に食いこむ。腕に大きな力がはいっていることは、上着のそでがぴんと張っていることから見てとれる。男は目を白黒させている。両手でクロウの腕をつかんで引っぱっているが、ふりほどくことはできない。肺に空気がはいってこないので、見る見るうちに顔が青ざめていく。男は右足のブーツを後ろに蹴りだしたが、クロウは両足をひろげて立っているので、かすりもしない。それで、こんどはクロウの腕から手をはなして、後ろ向きになぐりかかる。指につけた金属のスパイクが顔をこすりそうになったが、クロウは首をふって、ぎりぎりのところでそれをかわし、男の喉にかかった腕にさらに力をこめた。

そして、男の肩ごしに穏やかな口調でシャーロックに話しかけた。

「残念なことだが、尾行を見破られたのはきみの不注意だよ」

「すみません。見つからないよう気をつけたつもりだったんですが」

「いい勉強になっただろう。立場はときとして逆転する。それが人間と動物のちがいだ。ウサギが急に向きを変えて、キツネを追いかけはじめることはないが、人間の場合はしばしば攻守ところを変える。つまり、追われている者が追う側にまわるってことだ。それはどんなときに起きるのか。つけている相手が人けのないところに行ったときだ。それは尾行に気づかれ、ひとに見られないところに誘いこまれたってことだ」

「こんなところでレッスンですか」

「人生はいつでもなにかを教えてくれる。問題はそれを理解しようという気があるかどうかだ」

クロウは横目でちらっと男の顔を見た。肌は紫色になり、目玉が飛びだしそうになっている。

「こんどはおまえに話がある。おまえはこの子を痛めつけようとしていた。それはどうしてなんだ。文明人のすることとはとても思えない」

「お、おれのあとをつけてたからだよ」

クロウはシャーロックに目をやった。

「それはなんらかの理由があったからだろう。まさか尾行の練習をしていたわけじゃあるまい。もっとも、きみの場合は練習をしておいたほうがよかったかもしれないがね」

「例の名刺をつくった印刷屋がわかったんです」と、シャーロックは答えた。「名刺を印刷していたとき、この男が外で待っていたそうです」

クロウはうなずいた。

「そういうことだろうと思っていたよ。とすると、つぎの問題はなぜかだ。なぜ貧しい病気の男を雇って、名刺をつくらせたのか。なぜその男をディオゲネス・クラブに行かせたのか」

男はクロウの腕を首から引きはがそうとした。

「息ができない！」

「当然だろう。首をしめているんだから」

「首の骨が折れる」

「いや、それはまだだ。もうちょっと力を加えたら、おまえの首は枯れ木のようにポキンと折れる。ただし、そのまえにおまえは窒息死する」

「おれを殺す気か」

「ああ、そのつもりだ。でも、そのまえに話を聞きたい」

「金をもらったんだ」

「それはそうだろう。女王陛下にたいする忠誠心や愛国心がそうさせたとは思えない。問題はだれから金をもらったかだ」

男は必死にクロウの左腕をたたいた。

「名前は知らない。息をさせてくれ！　頼む！」

クロウが少し腕の力をゆるめると、男はしゃくりあげるようにして息を吸いこんだ。それで肌に少し血の気がもどった。顔にはもじゃもじゃの髪がこびりついている。

「ある夜、シャフツベリー・タバーンで声をかけられたんだ。おれはみんなから便利屋と呼ばれていてな。頼まれたことはなんでもする。もめごとの仲裁とか、金を巻きあげる手伝いとか。あのときは、ひとを紹介してくれと言われたんだ。死にかけていて、家族のために金を必要としている男だ。死ぬまえに一仕事してくれたら、家族の面倒をみてやるってわけだ」

「おまえはそういう男を知っていたんだな」

「もちろん知っていた。そんなやつらは掃いて捨てるほどいる。ここはロンドンだ。死はちっともめずらしいものじゃない。肺病とか、アル中とか、胃病とか」

「死ぬまえの一仕事というのは?」

男は黙っていた。

クロウは手に力をこめ、男の耳もとでささやいた。

「あとちょっと力を加えたら、おまえは首の骨が折れる音を聞くことになる。参考のために言っておくと、わたしは若いころクーガーやワニや水牛の首をへし折ったことがある。心配するな。すぐにおわる」

男はあわてて話しだした。

「ホワイトホールにあるクラブに行って、マイクロフト・ホームズという男に面会を求め、あらかじめ用意してあった名刺をわたすんだ。そうやって、ふたりだけになることができたら、香水びんのようなもので顔にその中身を吹きつける。そうしたら、相手はすぐに意識を失うから、その手に本物のナイフを握らせる。それから、こんどは氷でできたナイフを自分の胸に突き刺す。それだけのことだ。なんてことはない」

「そのふたつのナイフはどこで手に入れたんだ」

「クラブに着いたら、使い走りのガキがケースにいれて持ってくることになっていたんだよ。ほかに方法はなかった。そうしないと、氷が溶けてしまうからね」

「話を聞いて、へんだと思わなかったのか」

「へんなことはこれがはじめてじゃないさ。金もはずんでくれたしな」

「おまえを雇った男の名前は？　人相風体は？」

「男とは言ってないぜ」

クロウは驚いて眉をあげた。

「たしかに男とは言ってなかったな。わたしのまちがいだ。ということは、おまえを雇ったのは女なのか」

男はうなずこうとしたが、喉に腕が巻きついているので、首はほとんど動かない。

「そうだ。女だ」

「その女の特徴は?」

「若くて、ほっそりしていた。きちんとした身なりをしていた」

「顔は? 顔の特徴は?」

「顔は見ていない。大きな帽子をかぶり、ベールをつけていたから」

「髪の色は?」

「帽子をかぶっていたから、わからない」

「でも、おまえはその女のあとをつけたはずだ。雇われたあとに。ちがうかね」

男の目に驚きの色が浮かんだ。

「どうしてわかったんだ」

「それくらいわかるさ。おまえのような人間の考えることは簡単にわかる。相手はいかにも金を持っていそうな女だ。としたら、ほうっておくわけがない。あわよくば、家に忍びこんで金を盗むことができるかもしれないと思って、あとをつけた。おまえみたいな男は、つねにそういうチャンスをうかがっているものだ。まあいい。その女の住まいはどこにあるか言え」

男は肩をすくめようとしたらしく、クロウの腕がかすかに動いた。

「家には行かなかった。行ったのは、ボウ通りにあるパスモア・エドワーズっていう博物館だ。二時間ほど待ってたんだが、結局、出てこなかった。もしかしたら、そこに住んでるのかもしれない。でなきゃ、裏口から出ていったのかもしれない。とにかく、その女とはそれっきりだ」

「ほかには？　ほかに話しておくべきことはないか」

「もう全部話した。うそじゃねえ」

クロウが首から手をはなすと、男はひざを折った。首をおさえて、荒(あら)い息をついている。

クロウはシャーロックのほうを向いて言った。

「この男から聞きだせることはもうないと思う。きみはひどく疲(つか)れているように見える。コーヒー・ショップへ行って一休みしよう……いや、そのまえに服を買ったほうがよさそうだな。その格好では、どこにも行けない」

シャーロックのズボンは泥(どろ)まみれになり、上着にはレンガのかけらがこびりついている。とそのとき、とつぜん男が立ちあがって叫(さけ)んだ。

「おれを殺そうとしやがったな、てめえ」

そして、スパイクつきの金属をはめた手をふりまわした。怒(いか)りに顔をゆがめ、歯をむきだしている。

クロウは体を後ろにそらせ、スパイクが目のすぐ前を通りすぎると、体を左にひねって、右足を蹴りだした。ブーツが男のひざに命中し、鈍い音がする。男は悲鳴をあげて、地面に崩れおちた。

「行こう」と、クロウは言った。「こんなところに長居は無用だ」

男はひざをかかえて、地面の上で丸くなっている。クロウは歩きだし、シャーロックはあとを追った。

「警察に届けなくていいんですか。警察につかまえてもらわなくていいんですか」

シャーロックが聞くと、クロウは肩をすくめた。

「それできみの気がすむのなら、そうしてもいい。でも、あの男は脅し文句を口にしただけだ。われわれになんの危害も加えていない。逆に、大怪我をさせられている。つかまるのは、あの男じゃなくて、わたしのほうだ」

「そんなの不公平です」

「そうかもしれん。でも、それが法というものだ。そういったことも、きみが学ばなきゃならないことのひとつだ」

クロウはウォータールー駅のほうに向かっている。シャーロックはその横を歩きながら聞いた。

「どうしてぼくの居所がわかったんですか」

「簡単なことだ。きみのあとをつけていたんだよ」

「まったく気がつきませんでした」

「それはそうだろう。わたしはきみとちがう。見つからないように、物陰に身をひそめたり、人ごみにまぎれたり、通りの角の手前で待ったりして、十分な注意を払っていた」

「でも、どうしてぼくのあとをつけたんです」

「名刺に記されていた住所を調べるのは思っていた以上に簡単で、時間はいくらもかからなかった。それはやはり偽の住所だったよ。それで、きみを見つけようと思って、印刷屋のリストの最後から順番にまわりはじめたんだ。見つかったのは二番目の店――きみにとっては三番目の店だ。ちょうど店を出たところだった。きみは早足で歩いていき、酒場の前で立ちどまった。なにか手がかりをつかんだのかもしれない。そうだとしたら、じゃまをしないほうがいい。それで、近くの家の軒先に隠れて様子を見ていると、さっきの男があらわれ、きみは尾行をはじめた。それで、わたしも同じように尾行をはじめたんだ。地下道の入口で、きみはあの男につかまったが、わたしが助けにいくまえに、奥に走っていった。きみが出てくる場所を見つけだすのはけっこう大変でね。結果的に一時間ほどかかってしまった」

「なるほどそういうことだったんですか。それで納得しました」

駅の前には小さな服屋があり、その数軒先には靴屋もあり、シャーロックの新しいズボンと上着と靴は十分ほどで全部そろった。代金はクロウ持ちだったが、しかたがない。あとで兄に言って、払ってもらおう。もちろん、兄を救いだしてからの話だが。

靴屋を出ると、近くのコーヒー・ショップにはいり、窓ぎわの席にすわった。なぜかわからないが、現実感があまりない。わずか一時間前には、真っ暗な地下道を逃げまわっていたのに、いまは明るい日だまりでコーヒーとケーキが運ばれてくるのを待っているのだ。人生にはいろいろなことがある。実際のところ、いろいろなことがあまりにも多くありすぎる。

コーヒーとケーキが運ばれてくると、シャーロックは聞いた。

「これからどうするんですか」

クロウはケーキを食べながら答えた。

「これまでにわかっている事実を整理してみよう。命令を下す者と、それを実行に移す者とのあいだには、二重のクッションがあったということになる」

シャーロックは眉を寄せた。

「二重のクッション?」

「そうだ。ディオゲネス・クラブで自殺した男はベールの女に会っていない。その女はさっきの男を雇い、さっきの男は家族のために死を決意した男を雇った」

「その女性もだれかに雇われていたかもしれませんね。そうなると、三重のクッションがあったことになります」

「可能性はある。裏で糸を引いているのがだれかはわからないが、ひじょうに用心深いのはたしかだ。自分のところまであとをたどることはできないように細心の注意を払っている。ここまでたどりつくことができたのは、ふたつの予想外のできごとがあったからだ。ひとつは、印刷屋がさっきの男をたまたま知っていたこと。もうひとつは、その男が欲の深い悪党だったおかげで、ベールの女のあとをつけて、博物館まで行ったこと。偶然の価値を見くびっちゃいけない」

「でも、目的はなんでしょう。なにがしたいんでしょう」

クロウは肩をすくめた。

「直接的には、きみのお兄さんの信頼を失わせること。つまり、きみのお兄さんがじゃまだってことだ。でも、なぜじゃまなのかはわからない。それを知るには、もっと多くの情報が必要になる」

シャーロックはため息をついた。あれだけ走りまわったあとなので、おなかがすいているものとばかり思っていたが、ケーキは少しもおいしそうに見えない。

「それで、どうすればいいんでしょう」

「わたしの見るところでは、三つの選択肢がある。その一、知っていることをすべて警察に話して、ファーナムにもどり、ディオゲネス・クラブのおかかえ弁護士がきみのお兄さんの身の潔白を証明してくれるのを祈ること」

「そうなる確率は？」

「きわめて低い。動かぬ証拠があり、容疑者の身柄を確保している以上、これ以上の捜査が行なわれるとは考えにくい。われわれの考えた仮説が簡単に受けいれてもらえるとも思えない。その根拠となる証拠は溶けてなくなってしまっている」

「アヘン・チンキの瓶があります」

クロウは肩をすくめた。

「きみのお兄さんが言ったように、それは医療用のふつうの薬でもある。いまさら警察に持っていっても、どうなるものでもない。そんなものはどこの薬屋でも買うことができる」

「じゃ、第二の選択肢というのは？」

「ロンドンにとどまって、きみのお兄さんの上司に話をする。外務省のほうから警察に圧力をかけてくれるかもしれん」

シャーロックは眉を寄せた。

「あまり現実的ではないような気がします」

「そうだな。外務省がそんな奇特なことをするとは思えない。政府の役人というものは、不名誉な事実がおおやけになることをいやがるものだからね」

「ということは、第三の選択肢しかないってことですね」

クロウはほほえんだ。

「どんな選択肢かわかっているかね」

「想像はつきます。兄の無実を証明するために、自分たちで証拠を集めるんです。ボウ通りの博物館に行って、ベールの女性がだれなのかを突きとめるんです」

クロウはうなずいた。

「そんなところだ。でも、あまり大きな期待をしちゃいけない。これはまちがいなく長期戦になる」

「こんなときにアメリカのピンカートン社みたいな私立探偵事務所があればいいんですけどね。そうすれば、警察が調べようとしないことや、調べられないことを、いくらでも調べてもらえます」

「たしかにここイギリスでは将来有望な職業かもしれない。でも、だれでも私立探偵になれるってわけじゃない。私立探偵には、しかるべき資質が必要になる。まあいい。とにかく辻馬車を拾って、ボウ通りの博物館へ行ってみよう」

クロウは最初の二台の空の辻馬車を見送って、三台目の辻馬車を呼びとめた。

シャーロックはその辻馬車に乗りこみながら聞いた。

「どうして最初の辻馬車を拾わなかったのです」

「ワナに引っかからないようにするためだ。どの辻馬車に乗るかは、自分で選んで決めたほうがいい」

「でも、二番目の辻馬車なら問題はなかったんじゃありませんか」

クロウは笑った。

「二番目のは馬の足どりがおぼつかなかったんだよ。あれじゃボウ通りまでたどりつけるかどうかわからない。それに、御者の口ひげも気にいらなかった」

ふたりが辻馬車に乗りこむと、御者が上から顔を突きだした。

「どこまでです、だんな」

「ボウ通りの博物館まで頼む」

そこまでは三十分ほどの道のりだった。辻馬車の窓の外には、人々のさまざまな暮らしがあった。通りの向かい側の窓には、紐がわたされ、多くの洗濯物がかかっている。通りの角には、いかつい顔をした男たちがたむろしている。お菓子や果物や花を台の上にのせて売っている露天商もいる。〃刃物とぎます〃と大きな声をはりあげながら、ペダル式の研磨機をのせた荷車を押している者もいる。

博物館は左右を建て増しされた赤レンガづくりの建物で、通りから少しはいったところにあった。正面には装飾がほどこされた柱がならび、ひざくらいの高さの鉄のフェンスと草むらによって歩道とへだてられている。玄関口の横には『パスモア・エドワーズ自然博物館』と記された石版が埋めこまれている。

クロウは御者に言った。

「建物の少し先まで行って、通りの角でおろしてくれ」

クロウが指示したとおりの場所で馬はとまった。クロウが運賃を払い、ふたりは辻馬車からおりた。

「あまりじろじろ見ないほうがいい」と、クロウは言った。「ここでしばらく話をしよう。どんな話でもいい。たとえば、あの建物からどんな印象を受けるかとか」

「あたりまえのことですが、博物館のように見えます。それ以外のなににも見えません」

「待ちあわせにはもってこいの場所だ。ただ単にここで待ちあわせをしていただけで、陰謀の拠点とかいったものじゃないかもしれない。としたら、ここではなにも見つからない。つまり、なんの証拠も得られないということだ」

「でも、なかにはいってみる価値はあると思います。なにかを見たり、聞いたりできるかもしれません。もしかしたらベールの女性を見たというひとが見つかるかもしれません」

「そう、そのとおり。それが正解だ」

ふたりは玄関口に向かって歩きはじめた。怪しむ者はだれもいないはずだ。ふたりの姿は、どこからどう見ても、父親と息子にしか見えない。

ロビーはがらんとしていて、中央に階段があり、途中で右左に分かれている。タイルの床のまんなかに大きなガラスケースが置かれていなかったら、ふつうの家の玄関ホールとなんら変わりはない。

ガラスケースのなかには、キツネやオコジョや野ネズミやカワウソなどの剥製が展示されていて、森の風景が正確に再現されていた。動物たちはみなおびえたような顔をしている。とつぜんの物音にびっくりし、あわてて逃げようとしたときにつかまったのだろう。黒いガラスの目玉がきょろきょろとまわりの様子をうかがっているように見える。

青いハンチング帽をかぶった青い制服姿の男がやってきた。

「いらっしゃいませ。おひとり二ペンスです。このお時間は空いておりますよ」

クロウは二枚のコインをわたした。

「ありがとう。お勧め(すす)の展示物はなんだね」

「そうですね。階段をあがって右にまがったところが、小型の哺乳(ほにゅう)類の展示室になっていまして、ご見学のみなさまにご好評をいただいております。左側にある爬虫(はちゅう)類の展示室には、数多くのめずらしい動物がいますので、お子さまに喜んでいただけると思います」

係員が歩き去ると、クロウは言った。

「二手にわかれよう。わたしは爬虫(はちゅう)類の展示室を見る。きみは哺乳(ほにゅう)類の展示室のほうへ行ってくれ。三十分後にここで落ちあおう。もしかしたら興味深いものが見つかるかもしれない」

「興味深いものって、どういうもののことでしょうか」

「ディオゲネス・クラブと同じだ。この場にふさわしくないものや、不釣(つ)りあいなものなら、なんでもいい」

「このまえは部屋のなかでしたが、ここは剥製(はくせい)の動物が展示されている博物館です」

クロウはほほえんだ。

「相体的な問題だよ。通りで、歩いている犬と出くわしても、なんの不思議もない。でも、博物館のなかなら、あきらかに不自然だ」

「わかりました」

ふたりはいっしょに大理石の階段をあがり、二股になっているところで二手にわかれた。シャーロックは右へ、クロウは左へ向かう。

階段をあがりきったところには、片側に腰までの高さの石の手すりがついた廊下があった。そこにならんでいるドアの向こうが展示室だろう。ロビーの天井の中央からは、カットガラスでできた大きなシャンデリアがさがっている。

シャーロックは最初のドアをぬけた。部屋は細長く、ガラスのキャビネットがならんでいるので、奥のほうまでは見えない。天窓から明るい光がさしこんでいる。部屋のどこかから話し声が聞こえてくるが、姿は見えない。

部屋の奥へ進み、ガラスケースのまわりを歩きながら、展示物をざっと見ていく。係員が言っていたとおり、そこは小型の哺乳類の展示室だった。白イタチが枯れ葉の上で威嚇的なポーズをとっている。その横では、大きな薄茶色のネコが砂の上にすわっている。つくりものの氷と雪の上を歩いているキツネの一メートルほど後ろで、土中の穴からおっかなびっくり顔を出しているのは、白と黒の縞模様のアナグマだ。

そこで一瞬足がとまった。ふとファーナムでのできごとを思いだしたのだ。あのときは、モーペルチュイ男爵の番犬の気をそらすために、アナグマの死骸を壁ごしに放り投げた。あのときは、あれほどひどい経験はもうしないだろうと思っていた。けれども、実際は……

いちばん奥には、ネズミやネコや犬が展示されていた。その目にはなんの感情も宿っていない。だが、その前を通りすぎたときには、ネズミやネコや犬に見つめられているような気がしてならなかった。

部屋のつきあたりには、ドアがあり、それをあけると、そこは小さなホールになっていて、その先に別のふたつのドアがあった。

そのひとつをあけて、なかにはいる。

ぎょっとした。何者かが上から見おろしている。両腕をふりあげ、その先でスパイクのようなものが光っている。

あとずさりし、尻もちをつきそうになったとき、それは大きなガラスケースのなかにはいっていることがわかった。スパイクと思ったものは爪だった。ウォータールー駅にいた長髪にひげ面の男ではない。クマの一種だろう。もつれた茶色い毛、濡れているように見える鼻。エイミアス・クロウよりも大きい。ということは、相当大きいということだ。

シャーロックは背筋をのばし、照れ隠しにジャケットのほこりを払った。

クマの向こうには、さらに大きなガラスケースがあった。そのなかには、枝のような角を持つ大ジカや、固そうな毛と牙を持つイノシシの家族や、長い茶色の毛で目がなかば隠れている牛などがいる。

その部屋の先には、またもうひとつの部屋があった。なんだか迷路のようだ。そこには、部屋のまんなかだけでなく、壁ぎわにもガラスケースが置かれていた。そこは鳥の展示室だった。

いちばん手前のガラスケースには、一羽のワシがいた。剥製になってガラスケースのなかに飾られていても、気高く見える。後ろの木の壁には、雲ひとつない青空と遠くの山なみが描かれている。

部屋の奥にはいっていったとき、物音がした。床に靴がこすれる音だ。だれかが部屋のなかにいる。だが、声は聞こえない。別の見学者だろう。

いくつかのガラスケースには、数種類のフクロウが展示されていた。そこにある木の枝は本物かもしれないし、焼き石膏でつくった偽物かもしれない。それを鋭い爪でつかんでいる。あれなら、獲物の体に食いこませて、巣まで持ち帰ることができる。

そのとき、目のすみでなにかが動いたような気がした。

シャーロックはすばやくふりかえった。

鳥たちがみなこっちを見ている。部屋にはいったときには、みな戸口のほうを見ていたはずだが、いまは部屋の内側を見ている。

こんどは部屋の反対側で、羽ばたきの音がした。鳥がいるのか？　生きた鳥がこの部屋にいるのか。スズメか、ハトか？　それとも別の鳥か？　そんなバカな。気のせいにちがいない。

その先の数個のガラスケースには、タカと、ハヤブサと、ミサゴと、知らない数羽の鳥がいた。

死んで剥製（はくせい）になっていることはわかっているが、それにしても気味が悪い。いままで見てきたほかの動物たちよりずっとまがまがしく感じられる。剥製（はくせい）になっても、毛より羽のほうが、実際に生きているときと同じように見えるからかもしれない。いまにも首をまげたり、羽づくろいをしたり、翼（つばさ）をひろげそうに思える。ガラスの目玉は、冷たく、悪意に満ちている。ネズミや猫（ねこ）は見学者をおそれていたが、鳥たちは見学者を獲物（えもの）と見なしているようだ。

また想像力がひとり歩きをはじめている。よそう。ここにあるのは鳥の剥製（はくせい）であり、生きているものではない。動くわけがない。

部屋の反対側で、またなにかが動く音がした。足音だろう。でなければ、布がガラスケースの木の枠にこすれる音だ。気にすることはない。博物館に別の見学者がいたとしても、なんの不思議もない。

そのとき、とつぜん大きな音がした。びっくりして心臓がつぶれそうになったが、考えたら、すぐにわかった。部屋の奥のドアが閉まった音だ。風のせいで閉まったのだろう。

すぐ目の前にあるガラスケースの脇をぬけると、そこに、さらに大きなガラスケースがあった。そのなかにいるのはハゲタカだ。頭には羽がなく、くちばしの先は下に向かってまがっている。行く手をふさぐように翼をひろげている。

顔をあげたとき、もう一羽いることに気づいた。ハヤブサだ。だが、ガラスケースのなかに閉じこめられているのではない。ガラスケースの上に、たったいま降りたったかのようにとまっている。

三つの音からなる口笛が部屋にひびいた。

ハヤブサが首をまわして身構えた。いまにも飛びかかってきそうだ。

7

きらりと光るものが目にはいった。なにかがハヤブサの足にとりつけられている。金属の刃だ。爪のように足から突きだしている。

その体が動いたとき、金属の刃がガラスケースの木の枠をそぎ落とした。

ハヤブサは翼をひろげ、ひと羽ばたきでガラスケースの上から飛びおりてきた。足は下にまっすぐにのび、金属の刃は左右に大きく開いている。

シャーロックは後ろに飛びのいたが、そのときに足がもつれてしまった。スローモーションのように体が後ろ向きに倒れていく。ハヤブサの姿が大きくなる。金属の刃が目に近づいてくる。腹の羽が一枚一枚鮮明に見える。翼がばたつき、風が顔にあたる。時間はゆっくりと動いている。体が倒れる途中で停止し、空中に浮いているような気がする。が、つぎの瞬間には、肩が床にぶつかり、息がつまり、目の前に火花が散っていた。

それでもなんとかガラスケースの木の台座の前まで転がっていって、そこから這って進みはじめた。いつ金属の刃で首をえぐられるかわからない。肩の筋肉が痛みのためにひきつりそうになっている。

目のすみに、茶色い羽のようなものが見えた。体を横に動かしたが、それはぴくりとも動かない。よく見ると、それはガラスケースのなかのチョウゲンボウの剥製だった。距離が近いので、首の縫い目や、ガラスの黒い目玉についたほこりまで見えた。

ゆっくりと頭をあげて、天井のほうを見やる。

ハヤブサがいる気配はない。

立ちあがって、陰になったところや奥まったところを注意深く見たが、どこにもいない。ハヤブサの姿はどこにもない。

遠くのほうから、羽音が聞こえた。だが、その音は部屋の壁に反射しているので、どの方向から聞こえてくるのかはわからない。

ガラスケースに背中をもたせかけると、上着とシャツごしに冷たさが伝わってくる。

これからどうすればいいのか。前に進むと、そこにはなにが待ちうけているかわからない。としたら、あともどりして、ホールにもどったほうがいい。そこで、エイミアス・クロウがもどってくるのを待ってもいいし、爬虫類の展示室に行ってもいい。

そう思ったとき、別の考えがふと頭に浮かんだ。自分がここでハヤブサと闘っているように、クロウ先生はいまワニと格闘しているのではないか。あるいは、アメリカで出くわしたような大トカゲとやりあっているのではないか。まさか。ばかばかしい。剥製の動物が生きかえって、ガラスケースから出てくるなんてことがあるはずがない。

これはどういうことなのか。どうして生きたハヤブサが博物館にいるのか。そもそもどうしてハヤブサがロンドンにいるのか。どうしてその爪に鋭い金属の刃がついているのか。もう少しで大怪我を負わされるところだった。いや、もしかしたら、殺されるところだったのだ。

すべての疑問がひとつの結論に行きつく――あの鳥はさっき口笛を吹いた者に飼われているにちがいない。ということは、ここまであとをつけられていたということか。いいや、ちがう。連中はこの博物館を根城にしているにちがいない。そんなところへはいっていったら、ただですまないのは当然のことだ。

そういった推理を裏づけるかのように、また口笛が重苦しい沈黙を引き裂いた。ハヤブサへの合図だ。そのすぐあとに羽音が聞こえた。天窓からさしこみガラスケースに反射した光が、天井に黒い影をうつしだしている。そこをハヤブサが横切る。

そのあとはまた静かになった。

ハヤブサはどの方向から飛んでくるかわからない。周囲に目を配りながら、できるだけ静かに部屋から逃げださなければならない。

ほこりが鼻を刺激し、くしゃみが出そうになる。くしゃみをとめるには、鼻をつまむしかない。いまいちばん避けなければならないのは、ハヤブサの注意を引くことなのだ。

部屋を見まわしたとき、自分がいまいる場所がどこかわからなくなっていることに気づいた。ガラスケースにはいっている鳥に見覚えはない。羽は白くて、首のまわりに襟巻きのような模様がはいっている。

はいってきたときには通らなかったはずだ。こんな通路があったとは思わなかった。

どっちへ行けばいいのか。

前に進もう。運がよければ、別の出口にたどりつける。が、運が悪ければ、ハヤブサに見つかってしまう。あるいは、飼い主に見つかってしまう。

ぬき足さし足で歩きながら、すぐ左側のガラスケースを見ると、そのなかには、鋭いくちばしをした茶色い大きな鳥がいた。おそらくハヤブサだろう。さっき襲いかかってきた鳥と、大きさも形もよく似ている。そう思いながら、その前を通りすぎたとき、ガラスケースのなかの鳥が首を動かした。

ちがう。それはガラスケースのなかにいるのではない。ガラスケースはからっぽだ。その鳥はガラスケースの向こう側の上にとまっているのだ。
ハヤブサは翼をばたつかせて飛びあがり、一瞬空中にとどまり、それから向かってきた。

シャーロックは両腕をあげて、顔の前で交差させた。そこにハヤブサの翼があたる。足にとりつけられた金属の刃が上着の袖を切り裂く。翼が耳をたたく。痛い。まるでボクサーになぐられているようだ。左腕の上着とシャツの袖はびりびりに切り裂かれている。皮膚に赤い線がはいり、血がふきだし、布にしみていくのがわかる。

鳥が体にぶつかったとき、無意識のうちに目をつむったが、いまは開いている。鳥の頭は目の十センチほど前にある。鋭いくちばしで右の目を突こうとしている。

怒りと恐怖を同時に感じながら、やみくもに右手をふりまわすと、こぶしが鳥の胸に命中した。

ハヤブサは翼をばたつかせ、いったん後ろにさがったが、逃げることはなく、ふたたび向かってきた。

片方の腕で顔を守りながら、もう一方の手をふりまわす。だが、ハヤブサの動きはすばやい。空中で急に方向転換してパンチをかわすと、翼をひろげたままガラスケースのあいだを滑空して、少しずつ床に近づいていった。そして、その先にあったガラスケースのすぐ手前で、翼をはばたかせて急上昇した。

シャーロックは荒い息をつきながら、ひざに手をついて、前かがみになっていた。首の動線が大きな音をたて、こみかみが脈を打っているのがわかる。

背筋に寒気を感じながらも、思いきって体を起こして周囲を見まわしたとき、多くの目に見られていることがわかった。だが、それはすべてガラスの目だ。生きた鳥の目ではない。

高い天井の薄暗いところに隠れているのだろうと目をこらしたが、ハヤブサの姿はどこにも見あたらない。こちらからは見えない。だが、向こうからは見えている。それはまちがいない。

ここからどっちの方向に行けばいいのか。ハヤブサの飼い主は、あともどりするにちがいないと考えているはずだ。とすると、前に進んだほうがいいということになる。少なくとも、その点では相手の裏をかくことができる。

さっきハヤブサが急上昇したところにあるガラスケースには、小さな鳥の群れが展示されていた。どの鳥も翼をひろげた状態で、上から針金でつるされているので、空を飛んでいるように見える。通路はそこで左右にわかれている。右側を選ぶと、その先にはカモメが展示されたガラスケースがあった。通路はそのつきあたりで右にまがっている。

そこで立ちどまって、曲がり角の向こうをのぞくと、そこには開けた場所があった。奥の壁には大きな木のドアがついている。それもまたつぎの部屋につづいているのだろう。両側の壁には床から天井まである大きな窓があり、そこからまぶしい日の光がさしこんでいる。

床の中央に、ひとりの男が立っていた。こちらを向いているが、後ろから光がさしこんでいるので、背が高くて肩幅が広いということ以外は、なにもわからない。片方の手にステッキを持ち、そこに体重をあずけている。もう一方の手はまっすぐ横にのび、そこにハヤブサがとまっている。

ハヤブサはいらだっているようだった。頭を左右にふり、足から足に体重を移動させている。男がやさしく声をかけると、少しずつおちつきをとりもどし、しばらくしてぴたっと動かなくなった。男が首を左右にふると、ハヤブサもそれにならう。

シャーロックは見つかるまえに首を引っこめた。

どうすればいいのか。

前方のドアには行けない。男に道をふさがれている。ということは、あともどりするしかない。

そのとき、ふと思いついて、靴を脱ぎ、それをポケットに突っこんだ。靴を脱げば、固い木の床でも音はあまりしない。数歩あとずさりし、それからふりむいて、通路を走りはじめた。順路はわからなくなっていたが、ここは博物館であって、迷路ではない。いつかはかならず外に出られる。

左にまがり、右にまがる。鳥はいたるところにいる。あちこちから冷たい目で見ている。まえに見たかもしれないし、見ていないかもしれない。どの鳥もみな同じように見える。

少し行ったところに、からっぽのガラスケースがあった。あのハヤブサはこのガラスの向こう側にとまっていたのだ。自分がどこにいるのかわかってきた。あと二回角をまがれば……

なにかが背中にぶつかった。ハヤブサだ。前のめりに倒れたとき、ハヤブサの爪が背中の筋肉に食いこんだ。上着とシャツがびりびりに引き裂かれる。首すじにくちばしが突き刺さるのは時間の問題だ。

横に転がって、背中で押しつぶそうとしたが、鳥は敏捷だった。すばやく背中から爪をはなして、一メートルほど先の通路に飛び移り、それからどこかに飛び去った。激しく羽ばたきをしたので、何枚もの羽が宙を舞っている。

シャーロックはよろけながら立ちあがった。もうこれ以上は持ちこたえられない。

また口笛が聞こえた。

通路のはずれからとつぜんハヤブサが飛びあがり、翼をばたつかせながら、空中で一瞬停止した。

それから、銃弾のように突進してきた。

空のガラスケースに左手をついて、そこにもたれようとしたとき、ガラスの扉がわずかに動いた。鍵はかかっていない。博物館の職員が、扉をあけたまま、そこに展示するものをとりにいっているのだろう。

ハヤブサはすぐ近くまで来ている。いったん降下し、途中で羽ばたきして、また上昇しはじめる。

喉をねらっているのだ。

扉のフレームをつかむ。勘だけが頼りだ。

あと二メートル。扉のフレームを引く。

扉が開く。そこにハヤブサが突っこんでくる。

ハヤブサはガラスにぶつかり、それを突き破って、床に落下した。こぼれ落ちたガラスの破片のまんなかで、その体はぐったりとしている。血は流れていない。翼も傷ついていない。首をふって、起きあがろうとしている。だが、とても飛べるような状態ではない。

顔をあげて、通路の先を見やると、そのはずれにステッキを持った男が光を背にして立っていた。その目にはさっきのハヤブサと同じ表情が宿っているのがわかる。

シャーロックはなんとか平静を装って男に手をふり、それからふりむいて、さっきはいってきたドアのほうに走りだした。

だが、そこへ行ってみると、そのドアには鍵がかかっていることがわかった。

とそのとき、ドアの向こうから、だれかがドアをたたきながら大声で叫んでいる声が聞こえた。それから、鍵がまわる音がして、ドアが開き、制服姿の警備員がはいってきた。

「どうしました？　だれがドアに鍵をかけたんです？」

「知りません。こっちが聞きたいくらいです。鍵を持っているのはあなたでしょ」

警備員は引き裂かれて血まみれになった服を見つめた。

「いったいなにがあったんです。ガラスが割れる音が聞こえましたけど」

正直にすべてを話そうかと思ったが、ぎりぎりのところで思いとどまった。本当のことを言っても、ガラスケースを割った言い訳としかとられないだろう。生きたハヤブサに襲われたなんていう話を信じてもらえるとは思えない。あれこれ説明したり、質問に答えたりしている時間はない。なにがあったのかを一刻も早くクロウ先生に伝えなければならない。

「歩いていたら、ガラスケースの扉が急に開いたんです」と、シャーロックは答えた。

「それで、ガラスが割れて、怪我をしました。どこに行けばいいんでしょう」

「どこに行けばいいっていうと？」

「怪我をしたんです。治療費を払ってもらわなきゃなりません」

警備員は困った顔をして後ろにさがった。

「となると、館長のところかな」

「どこに行けばいいんですか？」

「館長室はヒヒと馬の展示室のあいだにあります」

「ありがとう」

シャーロックはゆっくりと歩き去り、ガラスケースのあいだを縫って、急ぎ足でロビーへ向かった。早くクロウ先生を見つけて、話をしなければならない。クロウ先生も同じような目にあっていなければいいのだが。

階段をおりたところに小さなティールームがあったので、なかをのぞくと、クロウは白く塗られた鉄の椅子にすわって、紅茶を飲んでいた。その大きな手のなかにあるカップは、ままごと遊びのおもちゃのように小さく見える。しっくいの壁からは、布でできた葉がついた作り物の木の枝がのびていて、そこに剥製のオウムと極楽鳥がとまっている。緑や赤や青や黄色の羽は、宝石のように色あざやかに輝いている。

客は少ない。すみのほうの席で新聞を読んでいる男がひとりと、窓べの席でおしゃべりをしている年配の女性がふたりいるだけだ。縞柄（しまがら）のチョッキを着て、黒いズボンをはいた若い男がテーブルをまわって、テーブルクロスの上のゴミを払（はら）いとっている。

クロウはシャーロックを上から下まですばやく観察し、それから穏（おだや）かな口調で言った。

「ケーキを食べるかね。わたしはレモネードを追加注文する」

「なにがあったか知りたくないのですか」

シャーロックは言いながら、テーブルの反対側の椅子（いす）に腰（こし）をおろした。

「なにがあったかは、きみの姿を見ればわかる。動物に襲（おそ）われたんだね。それで怪我（けが）をした。でも、きみはかろうじて勝った。その動物とは……いや、答えなくていい。鳥だな。ワシか？　いや、ちがう。服の破れ方からすると、もっと小さな鳥だ。たとえばハヤブサとか」

「ええ。鳥の展示室で襲（おそ）われたんです」

「剥製（はくせい）のハヤブサに？」

「まさか」

「わかってる。冗談（じょうだん）だよ」

シャーロックは自分の目の前にすわっている男を見つめた。白いスーツのえりには、だれかにつかまれて引っぱられたようなあとがある。左のそでのボタンはとれてなくなっている。髪は突風にあおられたように乱れている。

「先生も普通じゃないように見えます。なにがあったんです」

　クロウは眉を寄せた。

「気がつくと思ってたよ。展示室を歩きまわっていたら、オフィスに通じるドアがあったので、なにか見つかるかもしれないと思って、こっそりなかにはいったんだ。だれかに見とがめられたら、トイレをさがしていたと言うつもりだった。でも、結局そうはならなかった。いきなりだれかに後ろからこん棒でなぐりかかられたんだ。運よくその影が目のすみにはいったので、ぎりぎりのところでかわすことができたんだがね。それからとっくみあいになり、突き飛ばされて、ドアの枠にぶつかった。このままじゃまずいと思っていると、つぎの瞬間には相手のほうが逃げだしていた。不意打ち以外に勝ち目はないと判断したのだろう。襲いかかってきたのは大柄な男で、こん棒を使いなれている。残念ながら、それ以上のことはわからない」

「じゃ、ふたりとも襲われたんですね。とすれば、ぼくたちの捜査の方向はまちがっていなかったということになります」

「たしかに。わたしが襲われただけなら、それが今回の捜査と関係のあるものかどうかはわからなかっただろう。単なるかっぱらいだった可能性もある。でも、きみも同じように襲（おそ）われたとしたら、その可能性は消える。それはわれわれのしていることが気にいらなかったからということになる」

シャーロックはまわりを見まわした。

「いまも見張られていると思いますか」

クロウはうなずいた。

「見張られていたとしても不思議はないだろうね」

クロウも同じようにまわりを見まわした。新聞を読んでいる男。おしゃべりをしている ふたりの女性。縞柄（しまがら）のチョッキのウェイター。

「客は関係ないと思う。客から注文を取っている男については、なんとも言えない」

「じっと言うと、展示室ではなにも見つからなかったんです。少なくとも興味を引かれるようなものはなにもありませんでした」

「きみのことだから、役に立つ情報をきっと見つけてくると思っていたんだがね」

「先生はどうなんです。襲（おそ）われるまえに、なにか見つかりましたか」

クロウは肩（かた）をすくめた。

「あちこち見てまわった。立入り禁止の場所も調べた。でも、なにも見つからなかった。

ここでなにかの陰謀がくわだてられているのはたしかだが、それを示すものはなにも見つかっていない」

「まだ警察に届けるわけにはいかないんでしょうか。ぼくたちだけで調べるのは無理です。相手はぼくたちの存在に気づいているんです」

クロウはうなずいた。

「ふたりが襲撃されたということだけでも、警察に届けでる理由になると思う。運がよければ、その事件を捜査する過程で、なにか有力な証拠が見つかるかもしれない」

クロウはてのひらでテーブルをドンとたたいた。カップと受け皿がカタカタという音をたてる。

「よろしい。警察に届けでることにしよう」

クロウは言いながら立ちあがった。

「ケーキはおあずけだ。ボウ通りの警察署に行って、告訴の手続きをとろう」

8

「なにかあったんですか、クロウ先生。兄さんの身になにかあったんですか」

パスモア・エドワーズ博物館から帰ってきた翌日の朝、ふたりはサーボニエ・ホテルで朝食をとっていた。

そこは前回シャーロックがロンドンに来たときに泊(と)まったホテルだった。クロウはシャーロックが目を覚ますまえに部屋を出て、シャーロックが朝食をとりに下におりていったとき、ホテルにもどってきたのだった。

「いい知らせだ。きみのお兄さんは保釈(ほしゃく)になった」

「保釈(ほしゃく)？　保釈(ほしゃく)ってどういう意味です」

「裁判所に保証金をあずけて、容疑者を釈放(しゃくほう)してもらうことだ。金額は裁判所が決める。容疑者が裁判のまえに逃走(とうそう)したら、その金は没収(ぼっしゅう)されることになる。だから、金額はそれなりのものでなきゃならない。もしかりに保釈(ほしゃく)金がたったの五シリングだったとすると、どの容疑者もみなすぐにその金を払い、裁判のまえに逃げてしまう」

「兄さんの場合は、どのくらいだったんでしょう」

「五千ポンドと聞いている。ディオゲネス・クラブが払った」

「いまはどこにいるんです」

「ディオゲネス・クラブで朝食をとりながら弁護士と話をしているよ。そこに電報を売って、きみは無事で、わたしといっしょにサーボニエ・ホテルにいるということを伝えておいた。もうすぐここに来るだろう」

「五千ポンドというのは大金です。よく払えましたね」

「必要なとき法律上の助言や援助が得られるよう、クラブの会員が少しずつ積みたてていたらしい。不思議なのは、きみのお兄さんの雇い主がなんの救いの手もさしのべようとしなかったことだ。この一件については完全な沈黙を守っている。もしかしたら政府が不当に警察に介入したと思われたくないからかもしれない」

シャーロックはしばらく考えた。

「でも、ウォータールー駅でぼくを襲った男は、兄さんを罠にはめたことを認めました。殺したのは別人だとはっきり言っていました」

「たしかにそのとおりだ。でも、警察はその証拠を集めなきゃならない。それには少し時間がかかる。大事なのは、ディオゲネス・クラブの弁護士が警察を正しい方向に導けるかどうかだ。きみのお兄さんに罪を着せた者はいまもって野放し状態にある。犯行の動機は依然として不明だし、連中がつぎにどういう行動に出るかもわからない」

「また兄さんを罠にはめようとするかもしれないってことですか」

クロウは肩をすくめた。

「その可能性は否定できない。でも、最初の罠で失敗したのに、つぎの罠で成功するとは考えにくい。一度目は偶然、二度目は陰謀、ということわざがある。警察だってバカじゃない。本当に警戒すべきは、それとはまったくべつのなにかが起こることだ」

「じゃ、どうすればいいんでしょう。兄さんを守るためにはなにをすればいいんでしょう」

クロウはシャーロックをしばらく見つめていた。その青い目にはすべてを見通す鋭い力がある。いまはそこにやさしい光が宿っている。

「きみは本当にお兄さん思いなんだな。きみくらいの年の子どもの中には、兄弟のことなど知っちゃいないという者も少なくない。でも、きみはちがう。きみはお兄さんを守ろうとしている」

シャーロックは顔をそむけた。涙を見られたくない。

「ぼくの父はいまインドにいます。母は病気です。姉はだれかを助けられるような状態じゃありません。兄にはぼくしかいません。おたがいに助けあっていくしかないんです」

シャーロックは無理やりほほえんだ。

「ご存じのとおり、兄はけっして行動的なタイプの人間ではありません。町のはしからはしまで行くにも助けが必要なくらいなんです。以前こんなことがありました。郊外(こうがい)にある家での食事に招かれたときのことです。ふつうなら、そのような招待に応じることはないんですが、そのときは例外でした。その家にはすばらしいワインセラーがあり、とびきりのデザートをつくる料理人がいることで知られていたんです。だから重い腰(こし)をあげたんです。駅まで辻(つじ)馬車で行き、そこから汽車に一時間乗り、さらにそこから辻(つじ)馬車で十キロ近くの行程だったそうです。あとは、屋敷(やしき)まで短い坂道を歩いてのぼるだけでした。でも、兄さんはその坂道を見て、辻(つじ)馬車の御者(ぎょしゃ)に駅までもどるようにと命じたのです。そういう人間なんです。すごく頭がいいのに、あたりまえのことがなんにもできない」

「お兄さんが大好きなんだね」

「もちろんです。兄ですから」

個人的な感情の話をするのが照れくさくなり、シャーロックはクロウにたずねた。

「先生に兄弟はいないんですか」

クロウは顔をこわばらせ、しわがれた声で答えた。

「その話はやめておこう」

席に沈黙がたれこめた。しばらくして、クロウはまわりを見まわし、近くの家族づれに料理を運んでいる若いウェイターのほうに手を向けた。

「わたしがきみに教えてきたことをどれくらいマスターしたか見てみたい。あの男についてわかることを話してみたまえ」

シャーロックはしげしげとウェイターを観察した。

「このまえ来たときにもここにいましたね。制服のサイズが少し小さすぎます。ズボンにはところどころに直したあとがあります。同じ制服を長いこと着つづけているということです。ということは、給料が安いか、でなければ、給料をなにか別の目的に使っていることになります。靴は新しくて、ぴかぴかに磨かれています。着ているものとぜんぜんあっていません」

シャーロックはさらにしげしげとウェイターを観察し、それから鼻の穴をひくひくさせた。

「頭髪にはマカッサル油を使っていた。これはまちがいありません。ジャスミンとオレンジとココナツの香りがします。マカッサル油は高価な整髪料です。それは女性への印象をよくしたいという気持ちのあらわれで、給料は主としてそういったものに使っていると考えられます。整髪料とか、靴とか、仕事をしていないときに身につけている服とか。そのことから、結婚していないということがわかる。そんなところでしょうか」

「ホテルのドアマンの話だと、スリをはたらいて三回も刑務所にいれられている。支配人の妹の息子ということで、ここで雇ってもらっているらしい」

「そういえば、さっきからあのテーブルのそばにずっといますね。ポケットから財布かなにかを盗む機会をうかがっているのかもしれません」

見ていると、ウェイターはナイフを床に落とし、腰をかがめてそれを拾った。

「やっぱりそうです。わざとナイフを落としたんです。みんながナイフに気をとられているすきに、上着のポケットに手をいれようとしているんです」

「じつを言うと、いまの話はうそだ。スリでもなんでもない。なんでもウエストミンスター寺院の聖歌隊の一員らしい。支配人の甥だというのは本当の話だ」

ふたたび一家のテーブルのほうを見ると、ウェイターはナイフを拾って、体を起こしているところだった。さっきまで疑わしく思えていたものが、いまではごく自然な立ち居ふるまいに見える。

「それは本当なんですか」

「いいや、ちがう。実際はこうだ。去年、酒場でナイフをふりまわし、ひとを刺したが、そのことを法廷で証言をしようという者がいなかったため不起訴になった」

一家のテーブルはさっきまでとどこも変わっていない。家族が椅子にすわって、かたわらにウェイターが立っているだけだ。なのに、いまはさっきまでとまったくちがって見える。ウェイターはナイフを父親の首に突きたて、脅しているように見える。

「その話もやはりうそなんですね」

「そのとおり。全部うそだ。わかっていることはなにもない。わたしが言いたかったのは、そこに貼られたラベルによって、みな異なった見方をするってことだ。そのラベルに記されているのは、かならずしも本当のこととはかぎらない。でも、訓練すれば、そういった怪しげなラベルを引きはがして、事実のみにもとづいた推理をすることができるようになる。さらには、他人にまちがった考えを植えつけ、こちらの思いどおりの行動をさせることも可能になる」

使う言葉を選べば、相手の考えを自在にあやつれるということだ。その点について質問しようとしたとき、よく知っている声がレストランの入口のほうから聞こえた。

「同席させてもらってもいいかい、シャーロック」

「兄さん！」

マイクロフトはゆっくりとした足どりで歩いてきた。いつもどおりのきちんとした身なりで、スーツとチョッキにはしわひとつなく、帽子にはていねいにブラシがかかっている。だが、顔は青ざめていて、目はおどおどしている。

クロウは立ちあがった。

「かけたまえ、ホームズ君。コーヒーがいいかね。それとも紅茶?」

マイクロフトはその体重を支えるには小さすぎるように見える椅子にすわった。

「紅茶をいただきます。ついでに朝食も頼んでいただけるとうれしいんですが」

「朝食は弁護士といっしょに食べたんじゃないの」と、シャーロックは言った。

「知らなかったな。一日に二度朝食をとっちゃいけないという法律ができたのかい。そう。さっきとった朝食はひどいものでね。トーストはしけっているし、ベーコンはふやけている。ソーセージはカリカリだ。マーマレードはとても口にできる代物じゃない。あんな料理を出されたら、食べなおしをしたくもなるさ。ここなら、まともな朝食にありつけると思う」

クロウはウェイターに合図をして、朝食と紅茶を持ってくるように指示した。それからしばらくのあいだ、マイクロフトはウェイターを見つめていた。

「ノルウェー人でしょうか」

「いや、フィンランド人だ」と、クロウは答えた。

マイクロフトは首をふった。

「そう言われてみれば、たしかにそうです。今回のごたごたで思考力が鈍ってしまったようです」

クロウはシャーロックの視線をとらえて言った。

「あの男のことはなにもわからないと言ったが、じつはそれもうそだ。フィンランドの出であることは最初からわかっていた。髪型を見れば一目瞭然だ」

「どうしてなんです。どうしてそんなうそをつかなきゃいけなかったんです」

「人生には不思議なことがいくつもある。ほとんどの人間はだれかに何度かうそをつかれたら、このつぎこそは本当のことを言ってもらえるだろうと思う。実際には、一度うそをついたら、そのあともうそをつきつづける確率のほうがずっと高い」

マイクロフトはシャーロックの顔をしげしげと見つめた。

「なにかよくないことがあったようだな。たとえば鳥に襲われるとか。だいじょうぶならいいんだが」

「ぼくのことなら心配ない。それより兄さんのほうは？」

マイクロフトは肩をすくめた。

「もうひとつの世界をこの目で見ることができたのはたしかだが、あまりいい経験になったとは思えない。昼すぎまでに弁護士が保釈金を銀行からおろしてくれることになっている」

「きみがねらわれた理由について、なにか心あたりはないのかね」と、クロウが聞いた。

「考えられる理由はいくつかあります。ひとつは、ぼくの言動にだれかが恨みをつのらせていたからです。でも、具体的にだれがなにを恨んでいるのかはわかりません。より可能性が高いのは、これから起こることからぼくを遠ざけるためです。あるいは、ぼくが自分の仕事に手をつけるのを阻むためです」

ここでマイクロフトはシャーロックのほうを向いた。

「知ってのとおり、ぼくは外務省に勤めている。政府にはそれぞれの分野の専門家がいるが、ぼく自身はいわゆるなんでも屋だ。ぼくのオフィスには、あらゆる種類の情報やうわさ話がはいってくる。ぼくの仕事は一見なんの関連もなさそうなもののあいだから特定のパターンを見つけだすことなんだ。実際にそこから外交政策が決まることも少なくない」

「具体的になにかあったのかね」と、クロウは聞いた。

「本当は外部の人間に仕事の話をしてはいけないことになっているんです……ありがたい。やっとぼくの朝食が来た」

ウェイターがテーブルに皿を置いて、金属のふたをとった。マイクロフトは顔をほころばせて料理を見つめている。

「すばらしい。完璧(かんぺき)です。料理長にお礼を言いたいくらいです」

ウェイターが歩き去ると、マイクロフトはつづけた。

「いま言ったように、外部の人間に仕事の話をしてはいけないことになっています。とくにイギリス以外の国に忠誠を誓(ちか)っている者には。でも、あなたとは長いつきあいです。秘密は守っていただけると信じています」

マイクロフトはフォークでマッシュルームを口に運んだ。

「うん、うまい」

目をつむって、嚙(か)み、それからまた目を開く。

「ええっと、どこまで話したっけ。そうそう。今回の一件と関係がありそうな事案がいくつかあります。そのなかでもっとも可能性が高いのは、あなたの国が最近買った広大な土地に関するものです」

クロウは眉(まゆ)をあげた。

「初耳だな。そんなニュースは聞いたことがない」

「無理もありません。新聞ではほとんど報じられていませんからね。わかりました。簡単に説明しましょう。去年、アメリカ政府はある広大な土地を七百二十万ドルで購入しました。七百二十万ドルというと、大金ですが、面積単価は一エーカーにつきわずか二セントです。だから、格安の買い物なんです。その土地は北アメリカ大陸の北西部にあり、東側がカナダとの国境になっています。北には北極海、西と南には太平洋があります」

「そこは元々だれのものだったの？」と、シャーロックは聞いた。

「いい質問だ。ロシアという国を知ってるね。太平洋の北のベーリング海峡をはさんで、その土地と向かいあっている。そこはもともとロシアのものだったんだよ」

「そこはなんと呼ばれてるところなの？」

「ロシア人はアリエスカと呼んでいる。でも、アメリカ政府はアラスカと呼ぶことに決めたようだ」

ここでクロウが口をはさんだ。

「それでアメリカはその土地を買ったわけだな。べつにめずらしいことでもなんでもない。わたしだってアルバカーキにちょっとした土地を持っている。そのどこに問題があるんだね」

マイクロフトはため息をついた。

「問題はその取引自体が有効でない可能性があるのです」

「どうして？」と、シャーロックは聞いた。「法律上の問題点をチェックする専門家は、ロシアにもアメリカにもいると思うけど」

「法的に適性であるかどうかじゃない。問題は土地の代金がいまだに支払われていないってことなんだ。だから、取引自体が成立しない可能性が出てくる」

クロウは思案顔で言った。「問題は、アラスカをほしがっている国がほかにあるかどうかだな。なければ、そんなにややこしい話にはならない。ロシアにできることは、早く金を支払ってくれとアメリカ政府に頼むことだけだ」

マイクロフトはソーセージをパンの上に乗せて、口のなかにいれた。頬がゆるみ、しばらく沈黙がつづいた。

「話はそんなに簡単じゃないんです。モスクワにはぼくの仲間がいます。給料と経費を出しているのは外務省ですが、実質的にはぼくの配下の人間です。報告を受けているのはぼくひとりだけで、ほかにはだれもいません」

「その人物は表の顔と裏の顔を使いわけているということだね」

「表向きは優秀なジャーナリストです。裏ではツアーリの情報を集めて、われわれに流しています。けさ、ぼくがボウ通りの警察署に勾留されていたときにはいってきていた情報のなかに、この人物に関するものがふたつありました。ひとつは、本人からのものです。スペイン大使館からロシアのアレクサンドル二世にあてて、アラスカを一千万ドル超の金額で買いたいという申し出があったというのです。取引が成立したら、全額を金で即座に支払うことになっているそうです。もうひとつは、モスクワに駐在しているイギリスの外交官からのものです。それによると、その人物がどうやら行方不明になったようなんです」

マイクロフトはティーカップを口もとに持っていきかけたが、途中でやめて、またテーブルにもどした。

「ロシアには、通常の警察のほかにツァーリ直属の秘密警察があります。これは皇帝官房第三部という名前で知られています。無味乾燥な名前ですが、そこがいかにもロシアらしい。長官の名前はビョートル・アンドレーエビッチ・シュバーロフといいます。数年前にフランスで会ったことがありますが、なかなか話のわかる人物でした。とにかく、この皇帝官房第三部の第一課は政治犯罪を扱っていて、第三課は外国人の監視の任務についています。そのどちらかが夜のあいだにその男をさらっていったのではないかと思われます」

短い沈黙があり、シャーロックがそれを破った。

「さっき〝ツァーリ〟って言ったよね。それって、王とか皇帝みたいな意味なの？」

「そんなふうに考えてもいい。でも、厳密に言うと、翻訳はできない。語源は意外なことにラテン語の〝カエサル〟つまり〝シーザー〟にあるらしいがね。ロシア人の肩書へのこだわりはイギリス人以上なんだよ。つい最近、ロシアから来た外交文書は、こんなふうにはじまっていた」

マイクロフトは目をつむって暗誦した。

「神の恩恵のもとに、われらがアレクサンドル二世、すなわちモスクワ、キエフ、ウラジミール、ノブゴロドのすべてのロシア人の皇帝かつ専制君主、カザンのツァーリ、アストラハンのツァーリ、ポーランドのツァーリ、シベリアのツァーリ、ケルソネソス・タウリカのツァーリ、グルジアのツァーリ、プスコフの君主、スモレンスク、リトアニア、ボルイーニ、ポドリア、フィンランドの大公、エストニア、リボニア、クールランド、ならびに、ゼムガレ、サモギティア、ベロストク、カレリア、トバリ、ユグラ、ベルミ、ビャトカ、ブルガリアをはじめとする他の諸地域の王子、ニジニ・ノブゴロドの君主と大公、チエルニゴフ、リヤザニ、ポロツク、ロストフ、ヤロスラブリ、ベロオーゼロ、ウドリア、オブドリア、コンディア、ビテプスク、ムスチスラブリ、ならびに北部のすべての諸地域の統治者、イベリア、カルタリニア、カバルダ族の大地およびアルメニアの諸地域の統治者、チェルケス人、山の王子たちおよびその他の者たちの世襲の王、トルキスタンの君主、ノルウェーの継承者、シュレスビヒ・ホルシュタイン、シュトルマルン、ディトマルシエン、オルデンブルクその他もろもろの地域の元首」

　そこで目をあけて、深く息を吸いこんだ。

「前置きのほうが本文よりずっと長い。外交官がモスクワ行きをいやがるのも無理はないよ。こういったものをいちいち暗記しなきゃならないんだからね」

「でも、兄さんは暗記した。必要もないのに」

「当然じゃないか。だって、ぼくはマイクロフト・ホームズなんだからね」

　クロウが割ってはいった。

「本題にもどろう。アメリカとの取引が不成立になり、スペインがアラスカを手にいれると、どうなるんだろう。そのなにが問題なんだろう」

「そうすると、あの地域の政治情勢は一気に不安定になります。カナダは新しい国です。土台はまだ打ち固められていません。フランスはケベックで大きな影響力を有しています。イギリスはいまもブリティッシュ・コロンビアの統治権を握っています。スペインがアラスカを手に入れたら、われわれがヨーロッパで経験したあらゆる悲劇を別の大陸でくりかえすことにもなりかねません。十六世紀から十七世紀にかけて、フランスとイギリスとスペインのあいだで起きた戦争を思いだしてください。あのようなことをくりかえすのはぜったいに避けなければなりません。スペインがアラスカを手にいれるとどうなるか。

答えは戦争です。どこと組んだとしても、アメリカは戦争でばらばらに分解してしまいます」

　クロウは大きな頭をゆっくりと上下に動かした。

「なるほど。それだけの国が寄り集まったら、一悶着起きるのは避けられないだろうな。ひとつ屋根の下で、三つか四つの家族がいっしょに暮らすようになるのと同じだ。問題が起きないほうがおかしい」

「安定こそが、われわれがなによりも望んでいるものです。もちろん、この場合のわれわれというのは、アメリカとイギリスをさしています。イギリスはこの十年でいくつもの植民地を失ってきました。カナダはもうすでに自治権を有する独立国となり、現在イギリスの植民地であるブリティッシュ・コロンビアも近い将来そこに組みこまれるでしょう。イギリス政府はあの地域の安定をせつに望んでいます。アラスカがスペインのものになると、この先何百年にもわたって政治的ないざこざが絶えなくなるでしょう」

「問題がそこまで大きくなると、とてもわたしの力のおよぶところじゃない。わたしは政治家じゃないし、政治家になるつもりもない」

「ならないほうがいいでしょうね。あなたの交渉法がどんなものかは知っているつもりです。外交上の手段として、げんこつはあまり有効なものとは見なされていません」

「さあ、それはどうだろう。戦争は政治の延長だとクラウゼビッツは言っていなかったかね」

「たしかに。でも、クラウゼビッツはドイツ人です」

「それより、きみのいまの話はわれわれにとってどんな意味があるんだろう。きみを罠にはめたのはスペイン人だと言うのかね」

マイクロフトは首をふった。

「可能性はありますが、たぶんちがうでしょう。スペインが取引の申し出をした事実を隠さなければならない理由はありません。交渉はそのような微妙な段階をとうに過ぎています。ですから、スペイン人のしわざとは考えにくい。でも、ツァーリが現在スペインと交渉中であることをアメリカ側に知られたくないと思っている可能性はあります。アメリカ政府がそのことを知ったら、これはまずいと思って、すぐに七百万ドルの代金を支払うかもしれません。そうなったら、スペインとの取引の話は自動的に消滅し、ツァーリはより少ない金額しか受けとれなくなります。金が支払われたら、その時点で取引は成立します」

「可能性はもうひとつある」

「ええ。アメリカ政府です。土地の代金をツァーリに支払い、取引が完全に成立するまで、そのことを表ざたにしたくないと思っているのかもしれません」

クロウは肩をすくめた。

「アメリカ政府を弁護するつもりはない。この数年、彼らのくだす決断には、納得のいかないものが多いからね」

シャーロックはなにか言わないといけないと思って口をはさんだ。

「それ以外の可能性もあるかもしれません」

「第三の国の存在かね」と、クロウは言った。

「第四の国です」と、マイクロフトは訂正した。「スペイン、ロシア、アメリカ、そして、第四の国です」

「第五の国かも」と、シャーロックは言った。「この一件には兄さんたちもかかわっています。つまりイギリスも含まれるってことです」

クロウはほほえんだ。

「外交というのはたしかに一筋縄ではいかないものだ。でも、そういったことが本当に今回のこの問題と関係があるんだろうか。きみはなにが起こったのかを知り、外交上しかるべき手を打とうとしている。きみが職場にもどり、報告書を見て、正しい結論を導きだすことは、最初からわかっていたはずだ」

マイクロフトはゆっくりと首をふった。

「そんなに単純な話じゃありません。まず最初に、このような重要な事案が問題になっているところで、ぼくの言うことが上司にすんなり受けいれられるとは思えません。しかるべき裏づけ調査も必要になるでしょう。それには、何か月もかかるはずです。もしかしたら、何年もかかるかもしれません。いまはロシアからの情報の重要な供給源も断たれてしまいました。情報員がいなくなってしまったのです。いまはそこでなにが起こっているかを知るすべはありません。その男がロシアの独房に閉じこめられているなら、助けだす努力をしなければなりません。殺されてしまったとすれば、犯人を見つけだして裁判にかけなければなりません。ロシアにだって、裁判のようなものはあるはずです」

「モスクワにはきみの仲間がほかにもいると思う。彼らに頼んだらどうなんだね」

「いいえ。モスクワに信頼できる人間はひとりもいません。容疑が晴れたら、ぼくが自分でモスクワに出向くつもりです」

9

テーブルに衝撃（しょうげき）が走った。

「モスクワに出向くって?」と、シャーロックは聞いた。「ロシアの首都のモスクワに?」

「そうするしかない」

「オックスフォード通りより北に行くだけで、めまいがするというのに?」

マイクロフトはほほえんだ。だが、それは作り笑いで、その裏には苦汁（くじゅう）の色がはっきりとすけて見えた。

「もちろん行きたくはないさ。でも、そんなわがままは通らない。行かなきゃならない。どうしても。個人的な都合なんて二の次三の次だ」

「ぼくにはよくわからない」

だが、エイミアス・クロウの見解はちがった。

「わたしにはよくわかる。ロシアへ行くという判断の是非（ぜひ）はともかくとして、そういう気持ちは大事だと思う。部下がやっかいごとに巻きこまれているのに、知らんぷりをしていたら、だれにも相手にされなくなる。場合によっては、命令に従ってもらえないってことにさえなりかねない」

「おっしゃるとおりです。ぼくは自分のことしか考えない無責任な人間じゃない。そのことを世界中の仲間たちに知ってもらわなきゃなりません。嵐が来たら、いっしょに雨に打たれなきゃならないってことです。自分だけぬくぬくと過ごしているわけにはいきません」

「それに、好奇心もあるよね」と、シャーロックは言った。

「好奇心?」

「真実を知りたいと思ってるってことだよ。だれが兄さんを罠にはめたのか。アラスカの取引の話はどうなってるのか」

マイクロフトは肩をすくめた。

「たしかにそういう気持ちはある。中途半端はいやだ。虫歯はできるだけ早くなおしたほうがいい」

向こうで、さっきの家族がテーブルをはなれようとしていた。母親が子どもたちの服装をチェックしている。父親はその様子をやさしく見守っている。これからロンドン観光に行くのだろうか。それとも親戚を訪ねるのだろうか。もしかしたら、ロンドンには旅の途中に立ち寄っただけで、これから駅に行って汽車に乗るのかもしれない。

シャーロックは思った。どんな予定になっているのかはわからないが、うらやましい。自分の家族はあんなふうではない。父はいつも軍務でどこかに行っている。母はずっと床にふせっている。家族でテーブルを囲み、団らんの時間を過ごした記憶はほとんどない。

シャーロックはぽつりと言った。「じゃ、しばらく会えないんだね。父さんと同じように遠くへ行ってしまうんだね」

「おまえがいっしょに行く気がないならね」

また衝撃が走った。驚きのあまり声が出ない。

「ぼくが？　兄さんといっしょに？　ロシアに？」

マイクロフトは皿に残った料理を見つめ、それからクロウのほうを向いた。

「あなたのほうから説明してもらえませんか。ぼくの口からだと、どうもうまく言えません」

「わたしも十分には理解できていない」と、クロウはしぶい顔で答えた。「きみのほうからわれわれふたりに説明してもらいたい」

「わかりました。だったら、そうします。シャーロックはすでにこの一件に深くかかわっています。ぼくがロシアへ行くのをやめさせるには、あるいは、ぼくをロシアからすぐに引きかえさせるには、シャーロックの身の安全をおびやかすのがいちばんです。シャーロックが誘拐され、耳や指が小包みで送られてきたら、ぼくがロシアで調査をつづけることはできなくなります。シャーロックの身の安全の確保はいちばんの優先事項です。だから、シャーロックを連れていきたいのです」

シャーロックは無意識のうちに耳に手をやっていた。兄に対する警告であれなんであれ、自分の耳が切りおとされる音を聞きたくはない。

「きみはさほどに行動的な人間じゃない。だれかに襲われたときに対処できる自信はあるのかね」

「もちろんひとりでは行きません。仲間のひとりを同行させます。その男に警備とカムフラージュを頼もうと思っています。旅のあいだはつねに三人いっしょに動くつもりです」

「カムフラージュ? それって、どういう意味なの?」と、シャーロックは聞いた。

兄からこのような誘いを受けたのはもちろんうれしい。でも、よくよく考えると、なにがうれしいのかはよくわからない。ロシアに行くことか。それとも、兄といっしょに旅ができることか。

「偽装。つまり身分をいつわるってことだ。外務省の役人が無許可でロシアに行ったら、国際問題になりかねない。だから、偽名が必要になる。身分も変えなきゃならない。ロシアを訪問する大きなグループの一員になれば、われわれに注意を払う者はいなくなる」

「そういったグループに心あたりはあるということかね」

「ええ。ディオゲネス・クラブからここに来る途中、馬車のなかで考えたんです」

シャーロックは仰天した。

「馬車を使ったの？　歩いて十分の距離なのに。馬車なら二分ほどしかかからない」

「わかってるよ。考える時間がほしかったんだ。歩いてきたら、歩行者や馬をよけるのに気をとられて、なにも考えられなくなる」

「で、心あたりというのは？」と、クロウは聞いた。

マイクロフトはソーセージのかけらをフォークで突き刺した。

「数週間前に、イギリスの劇団からモスクワで公演をしたいという申し出がありましてね。上演するのはシェークスピア、マーロウ、ベン・ジョンソンなどの芝居です。許可はすぐにおりました。それはそもそもロシア大使館からの要請にもとづくものです。芸術を通して両国のきずなをより強めようというわけです。その公演が先週とつぜん中止になるかもしれないという事態におちいったんです。なんでも、劇団のマネージャーが心臓の病気で病院にかつぎこまれたそうなんです。そのうえ、オーケストラの第一バイオリニストが酔っぱらって、大あばれをして、逮捕(たいほ)された。それで、ひらめいたんです。劇団のマネージャーの仕事はそんなにむずかしいものじゃありません。しなきゃならないのは、劇団員を現地まで連れていくことと、公演料を受けとることくらいです」

「じゃ、バイオリニストは？　知ってる者がいるのかね」

マイクロフトは朝食の皿にじっと視線を注いでいる。

「知りあいの情報員のなかに、バイオリンを得意にしている者がいます。その男を同行させようと思っているんです」

「ぼくの身分はどうなるの？」と、シャーロックは聞いた。

「楽屋の使い走りだ。海外公演では、裏方はいくらいても足りないらしい」

「でも、いつ出発するの？　どうやってモスクワまで行くの？」

シャーロックの気持ちは逸(はや)るばかりだった。マイクロフトはソーセージを口にいれてもぐもぐし、少し間を置いてから答えた。

「〝いつ〟については、劇団との交渉(こうしょう)がまとまりしだいということになる。ぼくの提案は劇団側にとっても悪い話じゃない。外務省が積極的に支援(しえん)の手をさしのべ、欠員の穴埋(あなう)めまでしようというんだからね。最初の予定のとおりだと、数日後には出発することになっていたはずだ。いまは公演がキャンセルになったことを知らせる手紙を書きおえたばかりといったところだろう。その手紙がまだ投函されていないことを願うばかりだ。でないと、別の作戦を考えなきゃならなくなるからね。つぎに〝どうやって〟だが、フランスまで船でわたり、そこから汽車でモスクワに向かう。四日か五日で着けると思う」

マイクロフトは話しながら、トーストにバターを塗りはじめた。

「おじさんとおばさんには、ぼくのほうから話をしておく。行く先がロシアであれどこであれ、旅は人間を成長させる。ふたりとも反対はしないと思うよ。ぼくは旅の準備をはじめるから、おまえはチャリングクロス通りへ行って、ロシアの歴史と文化について書かれた本をさがしてきなさい。ロシアとイギリスとではなにもかもが大きくちがっている。その差はアメリカ以上に大きい」

マイクロフトはクロウのほうを向いたが、なにも言おうとしなかったので、そのまま話をつづけた。

「参考までに言っておくと、ロシアは世界でいちばん広い国だ。地球上のすべての陸地の七分の一を占めている。もっとも、その多くが一年中とけることのない、ツンドラと呼ばれる凍った土地だ。人口は約六千五百万人。驚くべきことに、国民は百六十の種族にわかれ、百十の異なった言語や方言を話し、三十五の異なった宗教を信仰している。実質的にそれだけでひとつの世界といってもいい。それがこれからぼくたちが行こうとしているところだ」

「でも、言葉は？　ぼくはロシア語などまったくわからない」

「それは問題ない。ロシアの上流階級や宮廷では、フランス語が通じる。フランス語なら、ぼくはまったく問題ないし、おまえも少しは話せるはずだ。それでなんとかなる」

「でも、クロウ先生は？　クロウ先生もフランス語ができるの？」

「残念だけど、クロウ先生は行かない。行くのは、ぼくとおまえとバイオリニストの三人だけだ」

「どうして？」

「クロウ先生はフランス語を話せない。劇団が必要とするような特技も持っていない。それでも行くとなると、娘さんも連れていかなきゃならない。連れていかないとしたら、そのあいだここで世話をしてくれる者をさがさないといけない。それにクロウ先生はちょっと目立ちすぎる。お忍びの旅行には向いていない」

「気にすることはないさ」と、クロウは言った。「きみたちといいしょに行けるとは最初から思ってはいなかった。ふたりで行ってきなさい。大いに楽しんでくればいい」

シャーロックは胃にさしこむような痛みを感じた。

「できれば、先生もいっしょに来てもらいたいです」

「これが人生というものだよ」と、マイクロフトは答えた。「ほしいものや必要なものが手にはいることはそんなに多くない。主はわれわれに解決できない試練を課さないというが、ぼくの経験からすると、それは真実じゃない。それは人々が受けいれがたいものを受けいれるための方便というものだ。人生は甘くない。生きることすら容易じゃない」

「レッスンはまだつづくのかね」と、クロウが小声で言った。

「シャーロックには学ばなきゃいけないことが多くあります」

　クロウは深く息を吸いこみ、それから話題を変えた。

「博物館のほうはどうする？　もう少し調べてみようか」

「その件については、ぼくのほうから警察に連絡をいれておきました。政府の関係機関にも、ぼくのほうから秘密の調査を依頼してあります。ただし、それでなにかがわかるとは思えません。博物館は単なる待ちあわせ場所にすぎなかったのかもしれません。だとすれば、彼らは正面玄関から外に出ていけばいいだけの話です。もしその一画に常駐していたとすれば、先生とシャーロックに訪ねてこられたあと、すぐに引き払ってしまっているでしょう。どっちにしても、調べても、これ以上はなにも出てこないと思います。相手は素人じゃない。それはまちがいありません」

「あの博物館そのものが連中の根城になっているってことは考えられないのかな」と、シャーロックは聞いた。

「その可能性はまずないと思う。博物館というのは公共の施設だ。そこが悪党どもの巣窟になっているとか、スタッフのなかにそういう人物がまぎれこんでいるとかは考えにくい。調べても、たぶんなにも見つからないでしょう」

　マイクロフトはトーストの最後の一かけらを口に放りこみ、ゆっくりと噛んだ。それからいかにも満足げに深呼吸をすると、チョッキのポケットから懐中時計をとりだした。

「これでやっと人心地がついた。昼食まであと一時間。さっそく旅の準備をはじめよう。じゃ、ぼくはこのへんで失礼します。一時にディオゲネス・クラブで会いましょう。そうそう。だれかに頼んで辻馬車の手配をしてもらわなくては」

　クロウとマイクロフトが歩道で立ち話をしているあいだに、シャーロックはひとりで歩きはじめた。考えなければならないことは多い。考える時間がほしい。

「ちょっと待て、シャーロック」

　ふりかえると、マイクロフトが手招きをしていた。

「えっ、なにか？」

　あともどりすると、マイクロフトは三枚のコインをさしだした。

「三ギニーわたしておく。なくさないように、防寒用の服を見つけたら、これで買いなさい」

　シャーロックはまたひとりで歩きはじめた。ピカデリー・サーカスをこえ、レスター・スクエアにはいり、チャリングクロスのほうに向かう。歩道はひとでごったがえし、車道には馬や荷車や辻馬車があふれている。押しつぶされそうだ。まわりにいる人間の数はせいぜい数百人だろう。六千五百万人の人口というのがどういうものなのかは想像もつかない。ロシアだけで六千五百万人もの人間がいるなら、世界全体ではいったい何人の人間がいるのだろう。考えただけで、頭がくらくらしてくる。

　通りの両側には、本屋やガラクタ屋や質屋などが軒をつらねている。時間がたつのは早い。店先や棚やキャビネットに飾られた品物を見て歩いていると、気がついたときには、いつのまにか一時間が過ぎていた。

　ロシア関係の本は何冊か見つかった。買ったのはそのなかからもっとも信頼できそうな二冊。

　しばらく行ったところに、ドアの錠前や鍵がぎっしり詰まった箱を売っている店があった。店員に聞いてみると、錠前にあう鍵があるとはかぎらないということを承知で買ってもらいたいとのことだった。それを買って、錠前と鍵で遊んでいたら、いい暇つぶしになる。錠をこじあける技を身につけることができるかもしれない。そうしたら、それは将来きっとなにかの役に立つ。そのことはここ数か月の経験でもうすでに証明ずみだ。だが、結局は買わずに、店を出た。その気になれば、あとでまた買いにくればいい。チャリングクロス通りを進んで、ケンブリッジ・サーカスをぬけると、トテナムコート通りのはずれに出た。この通りには、もっと多くの店がならんでいる。道も広くて、もっと多くの馬車や辻馬車が行き来している。

約束の時間にディオゲネス・クラブに行くためには、そろそろもどらないといけないと思いながら、一軒のガラクタ屋をぼんやりと見てまわっていたときのことだった。

奥の棚にあるバイオリンのケースがふと目にとまった。

それをそっと床の上におろし、表面のほこりを払ってから、ふたをあける。古いが、美しい。息をのむほど美しい。表面は深みのある赤茶色で、ニスにクモの巣のようなひびがはいっている。左右のF字形の穴は左右対称になっておらず、かすかにずれている。それでも、心に訴えかけるものがある。なにかを語りかけてくるものがある。

右手でネックを持って、バイオリンを持ちあげ、そこに左手をそえる。全体のバランスは、ニューヨークに向かう船の上で持たせてもらったルーファス・ストーンのバイオリンよりいいような気がする。

腕にのせて、弦をはじくと、美しい音が店内に鳴りひびいた。音程は狂っているが、音色は複雑で、刺激に満ちている。澄んではいないが、温かくて、表情豊かだ。

表の板の端と側面に指を走らせる。ビロードのようになめらかだ。

店の奥からかすれた声が聞こえた。

「目が高いね」

シャーロックはふりむいたが、棚がじゃまになって見えないので、その向こうにまわると、そこにいたのは、風が吹いたら飛ばされそうなヨボヨボの老人だった。本やらなにやらがうずたかく積みあげられた机の後ろにすわっている。黒い縁なし帽をかぶり、つるにチェーンをつけたメガネを鼻の頭にひっかけている。

「えっ、なんですって?」

老人は薄暗がりのなかから出てきて、ほこりっぽい光のなかにはいった。

「そのバイオリンは、むかしポーランドのクラクフというところで、わしのおやじがポーカーで勝って手にいれたものでな。それで、ここまで持ってかえってきたんだが、食料や薪を買うために、どうしても処分しなきゃならなくなったんじゃよ。本当はいまでも手ばなすのが惜しくてしかたがない」

「とてもいい感じです」

「その道の専門家からも、いい音が出るというお墨つきをもらっている。そう。女房と同じくらい、かわいいやつでな。でも、わしはバイオリンをひかん。ピアノやアコーディオンなら、遊びでひくことはあるがね」

シャーロックはケースのなかをのぞきこんだ。

「弓はないんですか」

「あるよ。弓はバイオリンの本体と同じくらい大事だという者もいる。でも、どうじゃろう。バイオリンは芸術作品だ。だが、弓はただの馬の毛にすぎん。もしかしたら、馬の種類で音がちがってくるということかもしれんがね。うん、あったぞ！」

老人は机の本をわきへのけ、弓を手にとって、シャーロックにわたした。

「ひいてごらん」

一通りのことは船の上でルーファス・ストーンから教わっている。だが、家にバイオリンがないので、アメリカから帰ってきてからは一度もひいていない。船の上での音階の反復練習は、本当に楽しかった。どんなにつらいときや苦しいときでも、音楽は心をいやしてくれる。

弦（げん）を指ではじき、ネックのペグをまわすと、音程がだんだんあってきた。バイオリンを肩（かた）に乗せて、あごで支える。いい感じだ。なんの違和（いわ）感もない。

弓を弦（げん）にあてて、一本一本ゆっくりとひいていく。人間の声のようだ。天上の歌のように聞こえる。いくつか音階をためしてみると、指は思っていた以上になめらかに動いた。

バイオリンをおろして、老人のほうを見ると、驚いたことに、その目には涙が浮かんでいた。

「これまでずっと放りっぱなしだったものでな。そのバイオリンの音を聞くのは何年ぶりじゃろう。どんな音がするかと心配していたんだが、まえと少しも変わってない。わしの女房とはえらいちがいだ。女房の声はいまじゃカラスみたいになっている」

「バイオリンの音は楽器によってまったくちがいます。どうしてなんでしょう。荷車はみんな荷車です。どれも車輪が四つあって、引っぱると動きます。どの荷車を選んでも、みな同じです。でもバイオリンはちがいます。見た目は変わらなくても、音はまったくちがいます」

老人は肩をすくめた。

「三人のバイオリンひきに聞いたら、三通りの答えがかえってくるじゃろうな。使われている木のせいだと言う者もいる。目の詰まった木がいいとか、アドリア海を船でひっぱってきた木がいいとか。木は関係ない、大事なのは塗ってあるニスだと言う者もいる。そのなかに秘密の成分がふくまれてると言うんじゃよ。わしかね？　わしは大事なのは愛だと思ってる。金をかせぐためだけにつくられたバイオリンは、それなりの音しか出ない。でも、愛をこめてつくられたものは、本当に美しい音がする」

「このバイオリンをつくったのはどんなひとかわかりますか」

「いいや。能書きはなにも聞いていない。だが、木にも糊にもニスにも、愛がたっぷりこもっている。それはおまえさんにもわかると思う」

「それで……それで値段はいくらなんでしょう」

「七十シリングだ。でも、おまえさんはこのバイオリンを気にいってくれてるようだから、六十五シリングにまけとくよ」

ポケットには三枚のギニー・コインがはいっている。ということは六十三シリングだ。でも、なにかあったときのために、少しは残しておかなければならない。

「四十五シリングなら払えます」

老人は首を横に傾けた。

「家族のために食料と薪を買わなきゃならないと言ったじゃろうが」

「ええ、聞きました。でも、四十五シリングしか払えないんです」

「まいったな。じゃ、五十七シリングでどうだ。これ以上はまけられん」

シャーロックは自分の息が粗くなっていることに気づいた。

「五十シリング」

老人はため息をついた。

「しかたがない。薪はあきらめよう。今夜は冷たい肉と冷たいスープでがまんする。五十五シリングでどうだ」

「わかりました」

ふたりは握手をした。シャーロックはバイオリンをケースにもどして、三枚のコインをさしだし、八シリングのおつりをもらった。

「大事に使ってくれ。このバイオリンのことでなにかわかったら、もどってきて、話を聞かせてくれるか」

「もちろんです」

店のドアが開いて、床に影が落ちた。途中に棚があるので、店にはいってきた者の姿は見えない。老人が口を開くまえに、男の声が聞こえた。

「まちがいない。ここにはいるのを見たんだ」

「だったら、おれを待つことなんてなかったのに。すぐに店にはいって、とっつかまえりゃよかったんだ」と、もうひとりの男が言った。レンガをこすりあわせたような声だ。

「ひとちがいだったらどうするんだ」

「そのときは、別の家族が悲しい思いをすることになる。それだけのことさ」

10

老人はシャーロックの肩に手をかけ、小さな声で言った。

「店の裏にドアがある。そこから路地に出られる。さあ、行きなさい」

最初の男の声がまた聞こえた。

「たぶん奥だ」

シャーロックは礼を言うかわりに会釈をし、老人は入口のほうにゆっくり歩いていった。

「本をおさがしかね。その耳から判断すると、ボクシング関係の本だね。それとも、そのこぶしを守るための手袋がご入用かね」

「ここに来た小僧をさがしてるんだよ」

「子どもは店にいれないようにしとる。ものを盗られるといけないから。子どもはみんな盗っ人だからね」

「けど、この店にはいるのをおれはこの目で……」

声はだんだん小さくなっていく。

店の奥の物置きを突っきったところにドアがあり、それをぬけると、ゴミが散らかった路地に出た。その先に、路地と直角に交わる通りがあった。そこで通りの左右を見まわし、だれもいないことをたしかめると、チャリングクロス通りのほうへ全力で走りはじめる。心臓が大きな音をたて、バイオリンのケースが何度も足にあたる。

これで少なくともひとつのことはあきらかになった。兄を罠にはめた連中はいまもまだなにかをたくらんでいるということだ。

人ごみにまぎれ、まわりに注意を払いながら、シャーロックはサーボニエ・ホテルへ向かった。

ホテルに着いたとき、マイクロフトはだれかと話をしていた。その男の大きな体はだぶだぶのコートのせいでより大きく見える。肩幅は食器棚のように広い。頭はふさふさの赤毛でおおわれている。もみあげを長くのばし、大きな口ひげと、スペードのかたちをしたあごひげを生やしている。

マイクロフトは話を中断してシャーロックに声をかけた。

「やあ。こちらはカイト劇団の俳優兼舞台監督のカイトさんだ。カイトさん、こちらは助手のスコット・エッカズリー」

マイクロフトはシャーロックに目くばせをした。ここでは偽名で通さなければならないということだ。兄も同じように偽名を使っているにちがいない。

「お会いできて光栄です」

シャーロックは言って、手をさしだした。カイトの手の甲は赤茶色の剛毛でおおわれていて、握手をすると、皮膚がちくちくした。もしかしたら、てのひらにまで毛が生えているのかもしれない。

「こちらこそ」と、カイトはしわがれた声で答えた。「サイガーサンさんから聞いているよ。裏方の仕事を手伝ってくれるらしいね」

「ええ、そうです」

シャーロックは明るく答え、カイトの顔を見つめた。そのときに、ふとおやっと思った。目のまわりや鼻や頬に小さな切り傷がいくつもある。それはなんの傷なのか。

「それは心強い。団員に引きあわせるから、あとで劇場に来てくれたまえ」

それから、カイトはマイクロフトのほうを向いた。

「とにかく、ありがたい申し出です。孫に話してきかせることができるような楽しい旅になるのはまちがいないと思いますよ」

「実際のところ、ぼくに孫ができるかどうかはわかりません。でも、念のために、詳細な記録をとっておくことにしますよ」

　カイトは立ち去り、シャーロックはマイクロフトのほうを向いた。

「サイガーサンだって？　サイガーは父さんの名前で、サンは息子。だから、サイガーサンってわけだね。もっとましな名前を思いつかなかったの？」

「歩きながら考えたからね。じっとしてないと、いい考えが浮かばないんだ」

　そこで、マイクロフトはシャーロックのバイオリン・ケースに目をやった。

「それはなんだい」

「これは……ケース。バイオリンのケース」

「それはわかっている。ぼくが言いたかったのは、あたたかい服を買わなきゃいけないときに、どうしてバイオリンを買ったのかということだ」

「だれかにあとをつけられていたみたいなんだ。ガラクタ屋をのぞいていたら、そいつらがはいってきた。それで、あわてて店の裏口から逃げだしたんだよ。バイオリンを買ったのは――」

「別人に見えるようにするため？　バイオリンを持っていれば、人ちがいだったと思わせることができるというわけか」

　シャーロックの言い分を信じていないことは、その口調からあきらかだった。

「それにしても、困ったことになったな。だれかがおまえのあとを追っていたということは、ぼくのことをまだあきらめていないということだ。そうとわかれば、なおのことのんびりとはしていられない。一刻も早くイギリスを出なきゃ」

シャーロックは少しずつ居心地の悪さを感じはじめた。かならずしもうそをついたわけではない。でも、話の順序をいれかえて、バイオリンを買った理由をいつわろうとしたのは事実だ。本当はただ単にほしくてたまらなかったというだけなのに。

「まあいい。寒くてこごえそうになったら、そのバイオリンを燃やせばいい。値段はいくらだったんだ」

シャーロックが答えるまえに、マイクロフトは手をあげて制した。

「いや、答えなくていい。知らないほうがよさそうだ。それを部屋に置いてきなさい。昼食にしよう」

「さっき朝食がすんだばかりなのに」

「いいかい、シャーロック。いやみを言われたかったら、下宿にもどって、家主にお昼をつくってもらっていたよ」

シャーロックは階段をあがり、自分の部屋のベッドの上にバイオリンを置いた。廊下(ろうか)に出たとき、となりのクロウの部屋のドアが開いていることに気づいた。なかをのぞいてみると、メイドが部屋の掃除をしている。荷物はなくなっていた。

「すみません。ちょっとお聞きしますが、この部屋に泊まっていたひとは、どこへ行ったんでしょう」

メイドはふりむいて会釈をした。

「チェックアウトなさいました」

「チェックアウト?」

「ええ、そうです。急にお決めになったようです」

「わかりました。ありがとう」

そのことを兄に知らせるため、シャーロックは急いで階段をかけおりた。レストランにはいろうとしたとき、ロビーにクロウが立っているのが見えた。足もとに旅行カバンを置き、手にコートを持っている。

「ちょうどよかった。きみと話をしたいと思っていたところなんだ」

「チェックアウトされたと聞きましたが……」

「もうここに用はないからね。今回きみはわたしと別行動をとることになった。家ではバージニアがわたしの帰りを待っている」

「だけど……」

「いいかね、事実は事実として認めなきゃならない。今回の旅にわたしは必要とされていない。それはそれでいい。わたしは大人だ。そのことに文句をつけるつもりはない」

「先生にもいっしょに行ってもらいたいです」

クロウは顔をしかめた。

「いっしょに行きたいのはやまやまだよ。今回はいろいろ気になることが多い。ふだんなら、きみのお兄さんはけっして判断をあやまらない。でも、今回はふつうの犯罪者のように逮捕(たいほ)されたことによって、すっかり動転してしまっている。事件があまりに身近なところで起こりすぎたってことだ。きみのお兄さんは今回どこかでまちがいをおかしているような気がしてならない。でも、わたしにはどうすることもできない。ロシアへ行くというのもどうかと思うが、きみのお兄さんは聞く耳をまったく持っていない。さっきも口論になったんだが、旅をとりやめる気はこれっぽっちもないようだ。モスクワの情報員の失踪(しっそう)がよほどショックだったんだろうね。たしかに仲間を失うというのはつらいことだ。わたしも何度か経験がある。が、それにしても、どうしてきみをロシアに連れていかなきゃならないのか。さっぱりわけがわからない」

「すぐに帰ってきます。あの……バージニアによろしく伝えていただけますか」

「いいとも。伝えておくよ」

クロウは手をさしだした。シャーロックはそれをしっかりと握りしめた。その大きな手に自分の指はすっかり隠れている。

「気をつけるんだぞ。きみのお兄さんはこの種のことが得意じゃない。きみが責任を持って面倒をみなきゃいけない」

ホテルのポーターが旅行カバンをとりにきたが、クロウは手をふって断わった。

「わたしはカバンも持てないほどの老いぼれじゃない。そうなったときには、こちらからお願いするよ」

クロウは旅行カバンを持ちあげて、肩にかついだ。

「もどってきたら、すぐに連絡してくれ。みやげ話を聞かせてもらいたい」

「わかりました」

クロウはふりかえることなくホテルから出ていった。

なんだか身を引き裂かれたような思いがする。とても心細い。

しばらくしてレストランにもどったとき、マイクロフトの席には、ヒラメの料理が置かれていた。

シャーロックがテーブルにつくと、マイクロフトはヒラメの骨をナイフとフォークで几帳面にぬきとりながら言った。

「自分が神さまだったら、食べられる魚は食べやすくつくっていただろう。こんなにおいしい魚の骨をとるのがこんなに面倒だとは、造物主のミスとしか思えない……ところで、クロウ先生は？」

「ついさっきこのホテルを出たよ」

マイクロフトは魚の肉をナイフで器用にフォークの上にのせている。

「クロウ先生はおまえをロシアに連れていく計画に反対だった」

「口論になったらしいね」

「そうだ。一歩もゆずろうとしなかった。おまえのことがそれだけ心配なんだろう」

「ぼくたちはこれまでふたりでいくつもの困難を乗りこえてきた」

「そのとおりだ」

マイクロフトは魚を口のなかにいれ、目をつむって味わった。

「絶品だ。黒いバターソースの味もいい。このレストランは覚えておかなきゃ。職場からもさほど遠くない。これからはときどきここに昼食をとりにこよう」

「身分をいつわってロシアに行くというのは、ほんとに正しい選択肢だと思う？」

「あれこれ考えたが、選択の余地はない。もうすぐ旅の三人目のメンバーがここに来ることになっている。さっき電報を打っておいたんだよ。このことはおまえに前もって話しておいたほうがいいと思う。その男は外務省の情報員であり、同時にバイオリニストでもある」

「それで?」

「もうひとつ付け加えるなら、それはおまえが知っている人間だ」

言葉の意味はわかるが、それがどういうことなのかはわからない。

「ぼくが知っている? でも、情報員に知りあいはいないよ。唯一(ゆいいつ)可能性があるとしたら、クロウ先生だけど。でも、クロウ先生はイギリスの情報員じゃないよね」

「もちろんちがう……シャーロック、おまえはルーファス・ストーンを知ってるね」

その言葉は深い井戸に落ちていく石のようだった。言葉が消えたあと、水面には大きな波紋(はもん)がひろがっている。

マイクロフトは顔をあげて、シャーロックの肩(かた)の向こうに目をやった。

シャーロックはふりかえったが、そこにだれがいるかをたしかめる必要はなかった。疑問の余地はない。でも、感情的にはどうしても納得できない。自分の後ろに立っている人物は、見ず知らずの者であってほしい。

だが、そうではなかった。心が縮んでいくような気がした。

そこに立っていたのはあのルーファス・ストーンだった。緑色のビロードのジャケット。

耳には金のリング。ぼさぼさの髪を長くのばし、あごには無精ひげがのびている。もじもじしていて、いかにもきまりが悪そうに見える。その点ではシャーロックも同じだ。

「すわってください、ストーンさん」と、マイクロフトは言った。「そんなところに突っ立っていたら、ウェイターに変に思われますよ」

ストーンは言われたとおり椅子にすわった。

「やあ、シャーロック」

「兄さんの仲間だそうですね。どうしてなにも言ってくれなかったんです」

「ぼくが黙っていてくれと頼んだんだよ」と、マイクロフトは言った。「このまえ、アメリカに行くことが決まったときに、ちょっと不安になってね。クロウ先生はほかにもすることがいろいろある。おまえひとりにかかりきりにはなれない。それで、ストーンさんに同じ船のチケットをわたし、おまえの身辺警護を依頼したんだ。ニューヨークでもずっとおまえについて歩いていた。万が一のことがあるといけないからね。でも、それはそんなに簡単なことじゃなかった。まさかおまえがマシュー・アーナットのあとを追って、とつぜん汽車に乗りこむとは思わなかったそうだ」

「知らなかった。兄さんの仲間だったなんて」

「ついでに言っておくなら、おまえにバイオリンを教えるようにとは頼んでいない」

「そう。急に教えたくなってね」と、ストーンは言った。「楽しかったよ」

「いつもはどんな仕事をしているんですか」

ストーンは肩をすくめた。

「いつもあちこち飛びまわっている。鳥のように気ままで、金のかからない旅だ。たいていは中央ヨーロッパの国々を行ったり来たりしている。だれにも怪しまれたり、見とがめられたりすることはない。なにしろ、ぼくは勝手気ままなさすらいのバイオリニストだからね。酒場で人々の話に耳を傾けたり、通りでうわさを拾い集めたりして、きみのお兄さんに報告している」

「国家の経済状態を知りたければ、新聞を読むより、農夫がビールを飲みながら交わす会話を聞いたほうがずっといい」と、マイクロフトは言った。「だから、イギリスは世界中に多くの情報員を配置している。そうやって、普通の人々の会話から情報を集め、報告をいれてもらっているんだ」

「じゃ、ファーナムに来た理由は？　それもだれかに指示されたことだったの？」

マイクロフトは答えず、かわりにストーンが答えた。

「イギリスにもどったとき、しばらくこの国に滞在して、ここで情報収集の任務につくようにという命令を受けたんだ。それで、ハンプシャー州からはじめたいとぼくのほうから提案した……きみのバイオリンの練習のことも気になっていたしね」

「じつは、ぼく、バイオリンを買ったんです」

「ほう。ぜひとも見てみたいね」

マイクロフトは咳(せき)ばらいをした。

「ストーンさんにいっしょに来てもらうことにしたのは、まえにもロシアへ行ったことがあるからだ。それに、もちろん、劇団のメンバーをそろえるためにも、バイオリニストはどうしても必要になる」

マイクロフトは少し間を置き、それから噛(か)んでふくめるように言った。

「わかってくれ、シャーロック。すべておまえのためを思ってしたことなんだ。でなかったら、こんなふうにおまえに話したりしない」

シャーロックは立ちあがった。

「でも、だからといって、だますことはないと思うけど。ちょっと外を歩いてくるよ」

「午後四時にホワイトチャペルにあるキングズ・シアターに来てくれ。そこで劇団員と顔あわせをすることになっている」

シャーロックは黙(だま)って歩き去った。背中の後ろから、マイクロフトの声が聞こえた。

「いいんです。ほうっておきましょう。そのうちにわかるときが来ます。あの子を守るためにはどうしても必要なことだったんです。論理的にまちがったことはなにもしていません」

　シャーロックはホテルから通りに出た。雨が降っていて、冷たい雨つぶが頬にあたったが、気にすることはない。なにもかもが灰色で、つまらないもののように思える。

　通りの角を左にまがったが、行くあてはない。余計なことはなにも考えないようにしよう。兄のことも、ルーファス・ストーンのことも、アメリカへの旅のことも。自分のまわりにあるものだけに目を向け、それ以外のものには心を閉ざそう。ただひたすら歩きつづけ、観察をつづけよう。

　家の軒先に、首に赤い斑点のある男が立っている。伝染病にかかっているのかもしれない。おそらくインドかどこかへ行っていたのだろう。もしかしたら、あと何年も生きられないかもしれない。

　シルクハットをかぶった紳士が懐中時計を見ている。その時計はどうやら自分のものでなさそうだ。たぶん、だれかから盗んだものだろう。盗んだのはほんの数日前だ。

　通りの角には、車輪のついた台車に乗った物乞いがいる。両足が麻痺していると書かれた札を首からさげている。でも、それはうそだ。靴のすり減り具合を見ればわかる。

　見ていると、いろんなことがわかる。でも、そんなことはどうだっていい。自分とはなんの関係もない。

歩いているうちに、ときがたつのをすっかり忘れていた。懐中時計を見ると、もうすぐ四時になる。そこからホワイトチャペルまではいくらもかからない。無意識のうちに、そのすぐ近くまで来ていたのだ。

キングズ・シアターは大通りと交差する横道を少しはいったところにあった。正面は赤レンガづくりで、白い柱がならんでいる。扉の前には、四段の石段がある。

重い足どりで石段をあがり、ロビーにはいる。だれもいない。チケット売り場のシャッターは閉まっている。それでも、大勢の客がロビーを歩いている様子が目に見えるような気がする。こった装飾のほどこされた壁や天井のしっくいには、オードトワレや香水の甘いかおりがしみついている。

ロビーの両側には、二階席へ通じる階段がある。奥のふたつのドアの向こうには、一階席があるにちがいない。チケット売り場の横にあるドアからは、楽屋と舞台に行けるようになっているのだろう。

タバコや香水のにおい、建物がきしむ音、壁に飾られたガラスの額ぶちいりの古いポスター。ここには命が宿っているような気がしてならない。大勢のひとが出入りする場所は、ほかにもいくつか知っている。でも、こんなに居心地のよさを感じるところはなかった。

ディープディーン校には嫌悪感しか覚えない。ディオゲネス・クラブにはぴりぴりした空気が漂っていた。だが、キングズ・シアターはぜんぜんちがう。まるで自分の家のような感じがする。

前に進みでて、奥のドアをあけ、なかにはいる。

場内は想像していたよりもやや狭かった。座席は緑のビロード張りで、扇状にならんでいる。頭の上には、二階席が低い黒雲のようにせりだしている。それを支えている鉄の柱は、葉や花をつけた細い木のかたちをしていて、茶と赤と緑の色がついている。まるで芸術作品だ。両側面の壁ぎわには、カーテンがかかった贅沢なボックス席がある。

料金はもちろん席によってちがう。舞台にもっとも近い一階席がもっとも安い。二階席はそれよりも少し高い。もっとも高いのがボックス席だ。

一階席には、舞台に向かってのびているいくつかの通路がある。

劇団員は舞台の上にいた。そのなかに、マイクロフトの姿もある。オーバーコートを着て、シルクハットをかぶり、ステッキを持っている。凜としていて、威厳と風格を感じさせる。

そのなめ後ろには、ルーファス・ストーンがいる。

マイクロフトの反対どなりにいるのは、舞台監督のカイトだ。赤毛の髪にひげづらで、さっきのだぶだぶのコートを着ていて、ここからだとクマのように見える。そのわきにひとかたまりになって立っているのは、俳優や裏方だろう。俳優たちはみな昔風の衣装を着ている。女はきらびやかなビロードのドレス。男はレースつきのシャツと丸くふくらんだ半ズボン。

マイクロフトの声が場内にひびきわたった。

「やあ、スコット。舞台にあがってきなさい」

シャーロックは通路を歩きはじめた。舞台の前には、小さなオーケストラ席があり、フェンスで仕切られている。舞台の左右に目をやると、そこに五段の階段があって、舞台にあがれるようになっている。

右側の階段から舞台にあがったとき、床がわずかに傾斜していることに気づいた。舞台の前のほうは奥より三十センチほど低くなっている。一階席からだと、観客は舞台を見あげることになるから、こうしたほうが見やすくなるのだ。舞台のはしには反射板がとりつけられ、いくつものランタンがならべられている。舞台の中央には、落とし戸がある。

みんなの注目を一身に集めながら、シャーロックは舞台を横切って、マイクロフトのほうに向かった。

シャーロックがやってくると、マイクロフトは一同に向かって言った。

「先ほどはバイオリン奏者のルーファス・ストーンを紹介しました。こんどはスコット・エッカズリーを紹介します。カイトさんの承諾をいただき、裏方として今回のツアーに参加することになりました」

それから一呼吸おき、シャーロックのほうを向いた。

「では、スコット、劇団のみなさんを紹介しよう」

まずは、舞台衣装を身に着け、長いブロンドの髪を後ろになでつけた男から。

「こちらはトーマス・マルビンさん。劇団の主演男優だ」

マルビンはふりむきもしないで軽く会釈をした。

つぎは、透きとおるような白い肌の美しい女性。目は緑で、髪は黒い。口もとには笑みが浮かんでいる。

「こちらは主演女優のイーファ・ディモックさん」

年は十歳以上はなれているにちがいない。それでも、その微笑と緑色の瞳には、心をざわつかせるものがある。

マイクロフトが手を別の俳優に向けたので、シャーロックは無理やりイーファ・ディモックから目をはなさなければならなかった。

「ウィリアム・ファーネスさんとダイアン・ローランさんだ。主役たちを支える重要な役割をになっている」

　ウィリアム・ファーネスはずんぐりとした体つきの男で、黒く染めた髪をおかっぱにしている。鼻はつぶれていて、吹き出物のあとが残っている。酒飲みなのだろう。頬には毛細血管が浮きでている。カリフラワーのような鼻のかたちは隠しようがないが、頬の赤みくらいはメイクでなんとでもなるはずだ。シャーロックと目があうと、二本の指を額にあてて、敬礼のまねをしてみせた。

　ダイアン・ローランは品のいい中年の女性で、髪を頭の後ろで丸くまとめている。どちらかというと、舞台よりも自宅の台所のほうが似あいそうだ。シャーロックににこっとほほえみかける。もう少し近くにいたら、きっとシャーロックを抱きしめていただろう。

「主要な役割を演じるのはその四人、そこに舞台監督でもあるカイトさんが加わることになる。あとは、群衆の役や簡単な脇役を演じながら、裏方の仕事もしている役者さんたちだ。左から順番にリディアン、ジューダ、パウリー、そしてヘンリー」

　シャーロックは舞台の後ろのほうに立っている四人に会釈をした。四人ともシャーロックと同じくらいの年かっこうだ。

　リディアンはやせていて、髪は黒く、あごがとがっていて、眉が太い。

　ジューダもやはりやせていて、髪は細く、白に近いブロンドで、頭のまわりにふわふわ漂っているようだ。目はやや赤みがかって見える。

パウリーとヘンリーはふたごの兄弟で、どちらも目が茶色く、どちらもがっしりとした体形をしている。ちがうのはパウリーの左手に小指がないことくらいだ。舞台の事故で失ったのだろうか。

舞台のそでから咳ばらいの音が聞こえた。薄暗がりに目をこらすと、濃い口ひげをたくわえた長身の男の姿が見えた。両手をポケットに突っこんで、ふんぞりかえっている。薄暗がりのなかで、目がぎらぎらと光っている。

「おっと失礼」と、マイクロフトはあわてて言いそえた。「あちらにいるのはイーブスさんだ。指揮者で、編曲も手がけている。楽団員は少し遅れてやってくることになっている」

「はじめまして、イーブスさん」と、シャーロックは挨拶をした。

「よろしく、エッカズリー君」

マイクロフトは話をつづけた。「ありがとう、みなさん。われわれを快く迎えいれてくださったことに感謝します。ぼくのこれまでの経歴はカイトさんにお伝えしてあります。劇団のマネージャーとしてのこれまでの経験を活かして、精いっぱいがんばり、みなさんのお役に立ちたいと思っています。そのために、最初にしなければならないのは、今回のモスクワへの公演旅行を成功させることです。種々の雑用はすべてぼくにまかせて、みなさんは演技に集中してください。どうかぼくを信用していただきたい。みなさんを失望させるようなことはけっしてしないつもりです」

拍手が起こった。

「ありがとうございます」と、カイトは言った。「では、稽古にもどろう。五分間の休憩のあと、全員舞台に集合してくれ。モスクワに出発するまであと三日しかない。わかってるな」

11

それからの一週間はあっという間に過ぎた。

旅行の段どりが整うと、シャーロックは劇団員のひとりとしてチャリングクロス駅で列車に乗りこんだ。それがウォータールー駅だったら、先日暴漢に襲われたときのことを思いだして、ぞっとしていたかもしれない。けれども、チャリングクロスは小さな駅で、いやなことを連想させるものはなにもなかった。

列車はイギリスの見慣れた田園風景のなかをドーバー海峡に向かった。そこに着くと、こんどは船でフランスにわたり、ダンケルクで汽車に乗りかえると、そこからモスクワまではわずか三日の行程だ。三日でヨーロッパを横断できるなんて、にわかには信じられない。

快適な旅行とはとても言えなかった。ベッドはない。座席はぺしゃんこで固いが、そこに足をのばして眠るしかない。

楽団員はいつもひとかたまりになっていた。いつも居眠り(いねむ)をしているか、小さなテーブルでチェッカー・ゲームをしているかのどちらかだった。

マイクロフトとカイトには寝台車(しんだい)の個室が用意されていた。マネージャーと舞台監督(ぶたいかんとく)という立場上の特権だ。ふたりともそこから出てくることはほとんどなかった。

シャーロックはずっと車窓にへばりついて、後ろに走り去る景色を見ていた。地図上でしか見たことのない国や街が現実のものとして目の前にあらわれては消えていく。ベルギー、プロイセンといった国、ブリュッセル、ケルン、ベルリン、ワルシャワ、ミンスクといった街……

窓からモミの林を見ていたとき、ローラン夫人がやってきて、となりの席にすわった。

「ずっとひとりでいるのね。もっとおしゃべりなのかと思ってたわ」

「いいんです。気にしてませんから、国や街によっていろんなものが変わるのを見ているのが楽しいんです。言葉とか、食事とか。でも、植物や動物はそんなに変わりません。鳥や猫(ねこ)はどこに行ってもたいてい同じです」

「ソーセージもそうよ。ソーセージがない国はないと思うわ……ところで、あなたの連れのサイガーサンさんだけど、部屋にこもりっきりで、いつもなにをしているのかしら。あなたのことをちっともかまってくれないわね」

「なにかと忙しいんだと思いますよ」

ローラン夫人は首を横に傾けた。

「それにしたって、あなたの保護者なのよ。こんなふうにほったらかしにしないで、少しは面倒をみてくれてもいいと思うけど、あなたのことなんかなんにも考えていないのかもしれないわね」

「ほかに考えなきゃいけないことがいろいろあるんでしょう」

話がこみいってきたので、シャーロックは話題を変えた。

「役者の仕事は長いんですか」

ローラン夫人は窓の向こうに目をやった。

「そうね。生まれて以来ずっとお芝居をしてるような気がするわ」

列車が西に進むにつれ、窓外の景色は少しずつ変わっていった。フランスやベルギーには、暗い森と明るい畑がどこまでもつづいていた。だが、プロイセンをぬけ、ロシアにはいると、荒地が目立つようになってきた。気温は急速にさがり、湖は凍りつき、地面には雪が積もっている。もしかしたら、低くたれこめた雲のせいで感覚が狂ってしまったのかもしれないが、人々はみな背が低く、髪は黒っぽく見える。

あるとき、ふと思いたって、兄の様子を見にいくことにした。

寝台車の部屋のドアをあけたとき、マイクロフトは背中に枕をあててベッドにすわり、手帳になにかを書きつけているところだった。まわりには、開いた本が散らかっている。

「なにか用かい、シャーロック」

「どうしているのかと思って様子を見にきたんだよ」

「気分はあんまりよくない。汽車の揺れのせいで、胃がおかしくなってしまった。本を読んで気をまぎらわせようとしたんだが、うまくいかなかった」

「ぼくになにかできることがあればするよ」

「いや。しばらくひとりにしておいてくれ。いまは話をする気分じゃないんだ」

　後ろにさがって、ドアを閉めるしかなかった。そこで立ちどまって、考えたが、どうしたらいいかわからない。こんな孤独感と無力感を味わうのは、シェリンフォードおじさんとアンナおばさんの家にはじめて連れていかれた日以来のことだ。

　歩き去ろうとした瞬間、カイトの部屋のドアの前になにか落ちていることに気づいた。薄暗いのでよく見えないが、親指ほどの大きさとかたちで、色は茶色で、片方のはしに紐のようなものがついている。なんだろうと思って腰をかがめ、親指と人さし指でつまむと、やわらかい。そのときにはわかった。ネズミだ。死んだネズミだ。紐のように見えたのは、しっぽだ。

でも、どうして？　家と同じように列車のなかにもネズミがいるのだろうか。

どこに捨てようかと考えていたとき、ドアが小さく開いて、そのすきまからカイトのひげづらがあらわれた。

「どうしたんだね。それはなんだい」

なぜかわからないが、このことはカイトさんに言わないほうがいいような気がする。それで、シャーロックはネズミの死骸をすばやくポケットにいれた。

「なんでもありません。サイガーサンさんに会いにきただけなんです」

「退屈なのかい。話し相手ならいくらでもいるはずだよ。裏方の子どもたちもいる。モスクワに着いたら、いっしょに仕事をするんだから、息があうよう、いまのうちから親しくなっておいたほうがいい」

シャーロックの目の前でドアが閉まった。

背景幕のあげ方や小道具の動かし方について一通りのことはロンドンにいるときに教わったが、裏方の四人とはまだほとんど話もしていない。せっかく年も同じくらいなのだから、カイトが言ったとおり、いまから親しくなっておいたほうがいい。暇つぶしにもなる。

それで、トランプの仲間にいれてもらうことにした。ホイストやバカラなどのルールはそんなにむずかしいものでなく、一日でマスターすることができた。持って生まれた数学的な思考法と、ホームズ家の特徴である記憶力のよさをもってすれば、ゲームのこつはすぐにつかむことができる。

パウリーとヘンリー兄弟のカードさばきには驚かされた。彼らのカードの切り方や配り方は、プロのギャンブラーのようになめらかで、正確だ。どうすればそんなふうにできるのかと聞くと、よほど不器用でないかぎり、練習すればすぐにできるようになるとのことだった。ルーファス・ストーンがバイオリンの上達法について言ったことと同じだ。それで、ゲームのあと、トランプを借りてきて、何時間も練習した。もともと手先は器用なほうだし、負けん気も人一倍強い。つぎにゲームに参加したときからは、ヘンリーとパウリーと同じようにカードを扱うことができるようになった。

三日目になると、窓外の景色をながめるのも飽きてきて、興味は劇団員を観察するほうに移りはじめた。マルビンさん、ファーネスさん、ディモックさん、ローラン夫人。クロウ先生から教わった要領で、それぞれの経歴や性格を推理してみるが、どうにもうまくいかない。なにかがわかったと思った瞬間、それを否定するものが出てきて、すぐに見方が変わってしまう。彼らが訓練を積んだ役者だからだろうか。もしかしたら、実生活のなかでも、知らず知らずにいくつものキャラクターを使いわけているのかもしれない。

列車が陰気な湿地帯を進んでいたとき、ふと気がつくと、ファーネスがひざの上に置いていたいっ。

た小さな箱をのぞきこんでいた。見ると、そのなかにはいくつもの小さな瓶や缶がはいっている。

ファーネスはシャーロックの視線に気づき、手招きをした。

「メイクの道具だよ。楽屋で見たことがあるだろ」

話をすると、息に酒のにおいがまじっていることがわかる。

「ええ、ちらっと。でも、こんなに近くで見るのははじめてです」

「ずいぶん長いこと使っている。顔には、蜜蝋と羊の脂肪をまぜ、亜鉛、すず、コチニール、ウルトラマリン、オーカーといった顔料を加えたものを塗る。目のまわりには焼いたコルクやすすをつける。かつらや付けひげはゴム糊ではりつける。やり方しだいで、顔の印象はいくらでも変わる。遠くからだと、まったく別人のように見えるようになる」

本当だろうかとシャーロックが思ったが、ファーネスはかまわずつづけた。

「鼻とか頬骨のように突きでたところに明るい色を加えてやったら、顔の特徴をよりきわだたせることができる。くぼんだところを暗くしてやれば、彫りの深みが増す。同じようにして、あごのたるみや、額のしわや、目の下のくまなどをつくることもできる。それでも足りない場合にはパテを使う」

ファーネスは箱のなかから缶をとりだした。

「パテ？」

「あごや鼻のような動かない部分のかたちを変えるのに使うんだよ。パテは乾くと固まる。だから、頬や口もとには使えない。そんなところに塗ったら、ひび割れて、すぐに落ちてしまう。でも、あごや鼻に塗れば、顔の印象はがらっと変わる。まるで別人のようになる。親しい友人だって気がつきはしないだろう」

やがて時間の感覚が麻痺し、旅が惰性になりかけたとき、列車はモスクワのクルスク駅にすべりこんだ。

改札口の向こうに、黒い礼服に黒い毛皮のふちどりがついたオーバーコートを着て、黒いシルクハットをかぶった長身の男が立っていた。短く刈りこんだひげをたくわえている。肌の色は磁器のように白い。劇団員がやってきたことに気づくと、ほほえんで、手をあげた。

カイトが最初に改札をぬけ、手をさしだした。だが、黒ずくめの男は握手をするかわりに、前に進みでて、カイトの体を親しげに抱きしめた。そのすぐあとから改札をぬけたマイクロフトは、それを見て、あわててあとずさりした。

黒ずくめの男はカイトとマイクロフトと短いあいさつを交わしてから、一団のほうを向き、なまりの強いフランス語で話しはじめた。

「わたしの名前はモロゾフ。ピョートル・イリイッチ・モロゾフです。後援者のユスポフ大公にかわりまして、みなさまをお迎えすることができたことをうれしく思っています。このたびの旅行が快適で実り多きものになるよう最大限の努力を払うつもりです。では、まいりましょう。スラビヤンスキー・バザール・ホテルに部屋を用意してあります。そちらまでご案内いたします」

モロゾフが指を鳴らすと、緑の制服姿のポーターがやってきて、劇団員のカバンやスーツケースを運びはじめた。駅を出たところには、三台の馬車が待機していた。

外は寒く、地面は雪におおわれている。イギリスでは、雪がふると、荷車や馬車に踏まれて、通りは泥まみれになるが、ここの雪は深く、少しも汚れていない。踏むと、さくさく音がする。

通りには一風変わった乗り物が走っていた。ファーナムの荷馬車とも、ロンドンの辻馬車や馬車ともまったくちがう。車輪は一応四つあり、御者もいるが、乗り物というより、ディープディーン校で使っていた体育の用具のように見える。乗客は細長い木の板にまたがってすわり、その下の台に足を置いている。そんなものに男だけでなく、ドレスを着た女性まで乗っている。

カバンやスーツケースの積みこみがおわると、一行は馬車に乗りこんだ。

馬車に乗っている時間は短かったが、シャーロックは興味しんしんだった。通りぞいに立ちならぶ建物の古さといかめしさには、見る者を圧倒するものがある。建物の大きさもイギリスとはぜんぜんちがう。そのせいか、寒さに背中を丸めてネズミのように足早に歩きまわっている人々は、実際よりもずっと小さく見える。それに、色！　イギリスでは無着色の石やレンガや木が使われている場合が多いが、ここではどの建物も色とりどりに塗装されている。ピンクもあれば、青もあれば、緑もある。いちばん多いのが黄色だ。なぜかはわからない。もしかしたら、ロシアには黄色の塗料が余っているのかもしれない。

ホテルに着くと、モロゾフはチェックインの手続きをとったあと、あいさつして帰っていった。

ロビーで、マイクロフトは咳ばらいをしてから、劇団員に向かって説明をはじめた。

「当地での予定を記したスケジュール表をつくっておきました。くわしいことはそれを見ていただくことにして、とりあえず、ここでは要点だけをお話ししておきます。まず最初に指摘しておかねばならないのは、今回のこの公演が実現したのはユスポフ大公の尽力のたまものだということです。ユスポフ大公は芸術の庇護者として有名な人物であり、イギリスの劇団の公演をここモスクワで実現させることが長年の夢だったそうです。公演は三日間、場所はマールイ劇場。それはモスクワ一の劇場であり、ということはロシア一の劇場です」

「収容人数は？」と、主演男優のマルビンが舞台にいるときのような張りのある声で聞いた。「わたしにも役者としてのプライドがあるからね、ある程度の数の観客の前でないと、やる気がしない」

「本館は九百五十人で、別館は七百五十人です」

「わたしたちはどっちのほうなの？」と、こんどは主演女優のイーファ・ディモックが聞いた。

「別館のほうです。狭いほうが観衆との距離が近いからです」

カイトが一歩前へ進みでた。

「そう。だだっ広い劇場じゃ、諸君の繊細でニュアンスに富んだ演技を観客に伝えることができないからね」

ディモックは小さくうなずいた。

「ご配慮に感謝しますわ」

「劇場の下見をしておきたいんだがね」と、マルビンが言った。「はじめての舞台でぶっつけ本番というわけにはいかない。そこの音響効果を頭にいれて、客席の隅々にまで声が届くようにしなきゃいけない」

「わかりました。すぐ手配をします。さっきも申しあげたとおり、上演回数は三回。初日には、ロシアの社交界の有名どころが招かれています。どうやらわれわれの公演は社交行事のひとつと見なされているようです」

「皇帝もいらっしゃるのかしら。いらっしゃれば、すごくうれしいんだけど」

ローラン夫人が言い、それからいたずらっぽい目つきでシャーロックを見た。

「わたしの子どものころの夢は、王子様と結婚することだったのよ。もう手遅れかもしれないけど」

「残念ながら、皇帝はご多忙につきお見えになりません。でも、当日そうそうたる顔ぶれがそろうのはたしかです。大公、伯爵、男爵、公爵……ロシアの貴族社会はとても規模が大きい。そのほぼ全員が一堂に会するんです。もちろん、イギリス大使夫妻も来ることになっています」

「まあ、すてき！」

ローラン夫人は手をたたいて喜んだ。

「三回の公演で、われわれはイギリスの偉大な劇作家ウィリアム・シェークスピア、ベン・ジョンソン、クリストファー・マーロウ、およびジョン・ウェブスターの芝居の名場面を演ずることになっています。どういうストーリーなのかわかりにくいといけないので、カイトさんにはそれぞれの場面の説明をしてもらいたいと思っています」

「わかりました。せりふは英語ですが、説明はフランス語でするつもりです」

「お願いします」

それから、マイクロフトは若い劇団員のほうを向いた——黒い髪のリディアン、ブロンドの髪のジューダ、ふたごのヘンリーとパウリー。

「つぎは舞台装置や小道具についてです。劇場には、エルシノア城やアーデンの森に使える背景幕があるはずです。家具などの小道具も各種そろっていると思います。あすの朝いちばんに劇場いりして、役者さんが音響のチェックをしているあいだに、カイトさんといっしょに必要なものを見つくろっておいてください。劇場のスタッフに言っておけば、午後には舞台に設置してくれるはずです。背景幕の上げ下ろしの方法などについても説明を受けておいたほうがいいでしょう」

「簡単さ」と、ヘンリーが言った。「ロープをひっぱったり、はなしたりするだけの話だからね」

「あすの午後、舞台に背景幕をつけ、全員でリハーサルを行なうことにします」

マイクロフトは指揮者のイーブスのほうを向いた。その後ろには、楽団員がひとかたまりになって立っている。そのなかには、ルーファス・ストーンの姿もある。いまではもうすっかりメンバーにとけこんでいる。

「リハーサルには楽団員も全員参加してもらいたいんですが、よろしいでしょうか」

イーブスはうなずいた。

「もちろんです。ご心配なく」

マイクロフトはうなずいた。

「お願いします。二日目には、芸術家が集まります。三日目は一般向けですが、チケットを買って来てくれるのはモスクワの上流階級です。みなさんはイギリスを代表する親善大使であることをどうかお忘れにならないように」

そこで一呼吸おき、太鼓腹の前で手を組みあわせた。

「では、これから夕食をとって、あとはゆっくり休んでください。あすは八時に朝食です。そのあとすぐに劇場へ向かいます」

劇団員はいっせいにホテルのレストランに向かった。ローラン夫人はその場にとどまり、シャーロックの頭に手をやった。

「せりふの練習をする相手が必要なの、スコット。夕食のあと、ホテルのラウンジで待っていてもらえないかしら」

もちろん、かまわない。ローラン夫人には好感を持っている。だが、マイクロフトのほうをちらっと見ると、どうやら話を聞いていたらしく、小さく首をふった。

「いいけど、今夜は早く寝なきゃ。寝不足にならないように」

「わかったわ。だったら、あすにしましょ。朝食のあとに。いいわね」

ローラン夫人はほほえんで、歩き去った。

マイクロフトはシャーロックとルーファス・ストーンを手招きして呼び寄せた。

「じゃまをするつもりはなかったんだがね。でも、劇団員とあまり親しくなりすぎると、うっかり余計なことをしゃべってしまい、身分をいつわっていることを見破られてしまうおそれがある。いちばんいいのは、礼を失さない程度に距離を置くことだ。長旅で疲れているだろうから、今夜は無理をすることはない。ゆっくり休みなさい。あす劇団員たちが劇場に向かったあと、おまえといっしょに行方不明になった情報員の部屋へ行こうと思っている。もしかしたら、なにか見つかるかもしれない」

それから、マイクロフトはストーンのほうを向いた。

「あなたはみんなといっしょに劇場に行ってください。バイオリン奏者がいないと怪しまれます」

「ぼくがついていなくてだいじょうぶなのかい」と、ストーンは言った。

マイクロフトは真剣な表情になった。

「なにかあったら、それでおしまいです。ツァーリの怒りにふれたら、そこから逃れることはだれにもできない。ここはロシアです。われわれはそういう国にいるんです」

「だったら、どうしてシャーロックを連れていくんだい。そんなに危険な仕事なら、シャーロックはぼくといっしょに劇場に行ったほうがいいじゃないか」

マイクロフトは首をふった。

「たしかに筋は通っています。でも、ぼくにはシャーロックの鋭い目と知恵と運動能力が必要なんです。窓から部屋に忍びこまなきゃならない可能性だって、なくはありません。でも、そんなことはぼくにはできない。シャーロックなら、ぼくが見おとしていた手がかりに気づく可能性もあります。ぼくが部屋を調べているあいだ、警察が来ないかどうか見張りをしていてもらうこともできます。万が一のときには、引きかえして、あなたに知らせてもらわなきゃなりません」

ストーンはしぶしぶうなずいた。

「わかった。ほかにはなにか?」

マイクロフトが首をふると、ストーンはレストランのほうに向かって歩きはじめた。

「ぼくになにか言いたいことがあるようだな、シャーロック」

マイクロフトのさぐるような視線に、シャーロックは肩をすくめた。

「いいや、べつに」

「無理をしなくていい。おまえはぼくに不満を抱いている。ストーンさんにも不満を抱いている。どちらも事実を隠していたからだ。それで、ふたりに裏切られたと思っている。信用できないと思っている」

シャーロックは目をそらし、そっぽを向いていた。

「シャーロック、ぼくにはおまえを守る義務があるんだ。ストーンさんに見張りを頼んだのもそのためだ」

「ぼくは……ぼくはストーンさんを友人だと思っていた」

「いいかい、シャーロック。ひとは同時にいくつもの顔を持っているものなんだよ。ぼくはおまえの兄であると同時に、イギリス政府の役人でもある。エイミアス・クロウはお尋ね者を追いかけるハンターであると同時に、おまえの家庭教師でもある。ルーファス・ストーンはバイオリニストであると同時に、イギリスの情報員でもある。だからといって、おまえの友人でないということにはならない」

マイクロフトはシャーロックの肩に手をあてて、やさしく握りしめた。

「この際だから言っておくと、ストーンさんはアメリカから帰ってきたあと、おまえに対して兄弟に近い愛情を感じているという話をしていたんだよ。いっしょにいて、とても楽しかったらしい。ストーンさんがおまえの身を案じていたのは、ぼくに依頼されたからじゃない」

その言葉を聞いて、この数日間、胸につかえていたわだかまりが、完全にではないが、多少は消えたような気がした。

「さあ、ロシア料理を楽しもうじゃないか。ロシア料理はフランス料理なみにうまいらしい」

ふたりはレストランにはいった。天井は高くて、アーチ状になっている。壁には、青や緑や赤の軍服を着た兵士たちが馬に乗って、軍刀をふりまわしている絵が飾られている。

マイクロフトはシャーロックの視線に気づいて言った。

「クリミア戦争だよ。イギリスとフランスとトルコが組んで、ロシアと戦った。いまにして思えば、いったいなんのための戦だったのだろうと思うね。あれからまだ十年ほどしかたっていないのに、われわれはかつての敵国の首都で夕食をとっている。おかしなものだよ」

マイクロフトは一呼吸おき、大きな体をぶるっとふるわせた。

「ぼくがイギリスをはなれるのは今回が最後だろう。もしかしたら、ロンドンをはなれることさえないかもしれない。たしかに旅はひとを成長させる。だが、旅をすることによって得られるものは、新聞や本からでも得ることができる。それなら、ひじかけ椅子にすわって、ブランデーを飲みながらできる。これからは、こちらから出向くことはしない。向こうからやってくるのを待つことにするつもりだ」

「逆に言うと、今回は行方不明になった情報員の安否がそれだけ気になってるってことだね」

ふたりが奥にはいっていくと、給仕長が予約帳から顔をあげて、完璧なフランス語で言った。

「おふたりさまでしょうか」

「ああ、そうだ」

給仕長に案内されて席に向かいながら、マイクロフトは小さな声で言った。

「その男の名前はロバート・ウォーマスリーといってね。オックスフォード大学の同級生だ。部屋がいっしょだったので、将来の夢や希望についてよく夜遅くまで語りあったものだよ。卒業してからは、それぞれ別の道に進んだ。ぼくは外務省。彼は世界中を旅して歩き、旅行記を書いていた。そのあいだは手紙のやりとりをする程度のつきあいだったが、しばらくしてふたりの軌道が交差するときがきた。それで、気がついたときには、ぼくのもっとも信頼のおける情報員になっていたというわけだ。そう。ぼくたちは親友なんだよ。

知りあいなら、いくらでもできる。でも、真の友人に出会える機会はめったにない。だから、そういう人物がいたら、大切にしなきゃいけない。ぼくがここに来たのは、そういう事情があったからだよ。言ってみれば、それはぼくの義務なんだ」

「わかった。えっと、少なくとも、わかったような気はする」

シャーロックは言いながら席についた。

「わかってくれると思ってたよ。おまえは友人のマシュー・アーナットを助けるためにニューヨークまで行ったんだからね」

マイクロフトは給仕長からメニューを受けとった。

「さて、なにを食べる？　この店はとくにシーフードがうまいらしいぞ」

たしかにおいしかった。マイクロフトも大満足で、食事といっしょにワインを飲んだ。飲むほどに、話もはずんだ。ワインをつくるのに使われるブドウの種類についてとか。ワインを蒸留したりアルコールを加えたりすると、ブランデーやシェリーやポートワインができるということとか。発泡性のワインをはじめてつくったのは、十六世紀のベネディクト会の修道僧であるとか。

食事が進むにつれて、兄に対する不信感は薄れていった。兄とルーファス・ストーンにだまされたことには、いまでも怒りを感じる。でも、その怒りの一部は自分に向けられたものだ。どうしてだまされていたことを見ぬけなかったのか。

いい教訓だ。どんなものでも、見た目どおりに受けとめてはいけない。

食事がおわると、マイクロフトはブランデーを飲み、葉巻きを吸いはじめた。

「ぼくはもう寝るよ。あすは早いから」

マイクロフトはうなずいた。

「そうすればいい。あすは忙しい一日になるはずだ。……ああ、なにかを見おとしているような気がしてならない。なにかが腑に落ちない。ディオゲネス・クラブでくつろいでいればすぐに気がつくことでも、ここにいると気が散って……一晩ぐっすり眠れば、頭の働きも多少はよくなるだろう。おやすみ、シャーロック」

部屋は狭かったが、気にならなかった。ホームズ荘の屋根裏部屋に比べたらずっと快適だ。服を脱ぐと、シャーロックはすぐに眠りに落ちた。夢を見たかもしれないが、記憶はまったくなかった。

つぎの日の朝は明るく、さわやかだった。地面には雪がまだ積もっているが、空はぬけるような青さで、太陽が照り輝いている。

顔を洗って、着がえをし、ゆうべ夕食をとったレストランへおりていくと、そこではマイクロフトがカイトと同じテーブルで話をしていた。マイクロフトはシャーロックを見ると、軽く会釈をし、それからまた話にもどった。

店内を見まわすと、マルビンとディモックは同じ席にいる。ローラン夫人はひとりですわっている。シャーロックの視線に気づくと、にこっとほほえみかけた。本当に感じがいい。自分の子どものように思ってくれているみたいだ。シャーロックは微笑をかえした。

裏方の四人組は同じテーブルでなにやら言い争っている。楽団員は弦楽器、金管楽器、木管楽器の三つのグループにわかれてすわっている。指揮者のイーブスの席にはだれもいない。

ルーファス・ストーンもひとりで別の席にすわっている。シャーロックを見ると、手をふって、向かいのあいている椅子を指さした。シャーロックは少し迷ってから、そこに向かった。

「よく眠れたかい？」と、ストーンは聞いた。

「ええ、まあ」

「ぼくにはもったいないくらいのベッドだったよ。干し草の寝床と夜空の天井に慣れた者としては、あまりにも快適すぎてね。目が覚めたときには、マシュマロの上にいるのじゃないかと思ったくらいさ。ベッドから出るのに五分もかかった。あと三十分寝ていたら、ベッドのなかに沈んで、あとかたもなくなっていたかもしれない」

シャーロックは答えなかった。

短い沈黙のあと、ストーンは穏やかな口調でふたたび話をはじめた。

「イギリスでバイオリンを買ったと言ってたね」

「ええ」

もっとなにか言いたかったが、なにを言えばいいのかわからない。

「ということは、本格的にバイオリンを習いたいということかい」

シャーロックは肩をすくめた。

「シャーロック、きみの気持ちはわかる。ぼくだって心から残念に思っている。でも、人生というのはこういうものなんだよ。いいことより悪いことが起きるほうが多い。大事なのは、黒い雲の向こう側に隠れている太陽を見つけだすことだ。いいかい、シャーロック、少なくともひとつだけは信じてもらいたい。きみといっしょにいられた時間は楽しかった。たとえぼくがきみのお兄さんといっしょに仕事をしていなかったとしても、きみにバイオリンを教えたいという気持ちはまったくかわらないだろう」

喉がつまりそうになったので、シャーロックはいったん目をそらし、それからまたストーンのほうを向いた。

「本当ですか」

「もちろん。でも、レッスンをはじめるのはこの仕事がおわるまで待ってくれ」

ストーンはまわりを見まわし、声をひそめた。

「なぜかいやな予感がする。なぜかわからないが、なにかがおかしい。これからなにかが起きそうな気がしてならない。くれぐれも気をつけたほうがいい」

12

朝食のあと、劇団員たちが辻馬車でマールイ劇場に向けて出発するのを、シャーロックは兄といっしょにホテルのロビーからながめていた。

辻馬車が通りの角をまがると、マイクロフトは言った。

「これでいい。さあ、行こう」

マイクロフトは辻馬車を呼びとめ、御者に行き先を伝えると、声をひそめてシャーロックに耳打ちした。

「目的地の百メートルほど先で降りて、あともどりする。面倒だが、しかたがない。御者に行く先を知られないようにするためだ。この街の御者の半分には皇帝官房第三部の息がかかっていると言われている」

辻馬車がとまると、マイクロフトは御者に代金を払い、辻馬車が走り去ってから、通りを横切って、来た道をあともどりしはじめた。

立ちどまったのは、赤褐色の石でできた三階建ての建物の前だった。入口は歩道から三段の石段をあがったところにあった。

ふたりはドアをあけて、なかにはいった。ロビーには上階へ通じる階段があった。マイクロフトはよく知っている場所のようにつかつかと階段の前まで行き、そこの手すりに寄りかかって、後ろをふりむいた。

「ツァーリの宮殿には、蒸気の力で上下に動く小部屋があるらしい。つまり、それに乗ったら、階段をあがりおりする必要はなくなるというわけだ。街の全部の建物がそのような設備をそなえるようになる時代が来るのが待ちどおしくてならないよ」

マイクロフトは重い足どりで階段をあがりはじめた。シャーロックはにやにやしながらあとにつづいた。

二階にあがると、薄暗い長い廊下が奥までのびていた。かすかに食べ物のにおいがする――ゆでたハム、キャベツの煮込み、それにパンのにおい。マイクロフトは廊下を進み、途中のドアの前で立ちどまった。そこで廊下の左右を見やって、だれもいないことをたしかめてから、ドアを押した。

鍵はかかっていない。

「錠のまわりの木が削れている。気をつけたほうがいい」

マイクロフトは玄関の間にはいると、その大きな体からは考えられない機敏な動作でシャーロックをなかに引きいれた。そして、シャーロックを壁に突き飛ばし、自分も反対側の壁にへばりついた。部屋に拳銃を持った人間がいるかもしれないと思ったのだろう。戸口に突っ立っていたら、簡単に撃たれてしまう。

耳をそばだてて待ったが、なんの物音もしない。

マイクロフトは廊下を進んで、半開きになったドアの前へ行った。

部屋はめちゃめちゃになっていた。居間のようだが、居間のようには見えない。椅子はこわれているし、テーブルはひっくりかえっている。壁にかけられた絵はみな斜めに傾いている。置き物やティーカップやワイングラスもみなこわれている。

ひとはいない。生きている者も、死んでいる者も。

マイクロフトは部屋をざっと見まわしてから、廊下にもどり、ほかの部屋を見てまわりはじめた。ひとつは寝室で、もうひとつはバスルームだが、どちらにも人影はない。居間と同じように、どちらもめちゃくちゃになっている。

マイクロフトは玄関の間に立って、まわりを見まわしながら言った。

「だれかがなにかをさがしていたようだな」

「でも、見つからなかった」

「そのとおりだ。どうしてわかったんだい」

「見つかったとしたら、荒らされていない部屋があるはずだから」

「でも、見つかった可能性もなくはない」

「うん。すべての部屋をさがしおえたとき、ようやく見つかったということだね」

「ほかには？」

「さがしものがいくつあるのかわかってなかったのかもしれない。だから、すべての部屋をさがさなきゃならなかった」

マイクロフトはうなずいた。

「そのとおりだ。この部屋の状態からほかにわかることは？」

「家さがしをした者はそのことがばれてもかまわないと思っていたんだろうね。でなけりゃ、こんなに散らかすはずがない」

「たしかに。でも、いちばんの問題はロバート・ウォーマスリーがいまどうしているのかということだ。そのとき、ここにいたとすれば、家さがしをした者にさらわれたことになる。そのとき、ここにいなかったとしたら、家に帰ってきたとき、錠がこじあけられているのを見て、あわてて逃げだしたことになる。いずれにせよ、いまもって安否を確認することはできない」

マイクロフトの顔は青ざめていた。

「そのとき、家のなかにはいなかったと思うよ」

「どうしてわかる?」

シャーロックは玄関のドアを指さした。

「ドアの錠はかかっていたけど、内側のかんぬき錠はかかっていなかった。ほら、見て、かんぬき錠はこわれていない。部屋のなかにいて、錠をかけていたのなら、当然かんぬき錠もかけていたはずだ。だとしたら、かんぬき錠もこわれていないとおかしい。かんぬき錠がかかっていなかったということは、部屋の外から錠に鍵をかけたということになる。つまり、そのとき、部屋のなかにはいなかったということだよ」

「みごとだ」

シャーロックは居間にもどり、もう一度まわりを見まわした。なにかがおかしい。でも、それがなんなのかはわからない。ここになにか場ちがいなものがある。あるいは、場ちがいでなさすぎるものがある。

「でも、いまひとつすっきりしない。なにかが見えていない。でなければ、見えているのに、理解できていない」

「そういうときは、しばらくほうっておくことだ。ほかのことを考えているときに、ふと思いつくことが多い……まあいい。これ以上ここにいてもしかたがない。行こう」

　通りに出ると、マイクロフトは手をあげて、通りかかった辻馬車をとめた。シャーロックは兄の上着の袖を引っぱった。

「ぼくは歩いていくよ。街を見てみたいんだ。ホテルへ帰る道は頭にはいっている。来るときに、通りの名前を注意して見ていたから」

「わかった」

　マイクロフトはシャーロックの肩をたたいて、コインをさしだした。

「ロシアの主要通貨はルーブルだ。一ルーブルは百コペイカになる。せっかくモスクワまで来たんだ。楽しんでくれればいい。ぼくはホテルの部屋にもどって、つぎになにをしたらいいか考える」

　マイクロフトは辻馬車に乗りこんだ。その辻馬車が通りの角をまがって見えなくなると、シャーロックは歩きはじめた。

　モスクワはこれまでに行ったどんな街ともちがっている。たとえば雪。雪は音をくぐもらせる。そのせいで、ロンドンのような騒々しさがなく、しんとしている。もしかしたら、ツァーリの秘密警察への恐怖のせいで、みんな無口になっているということもあるのかもしれない。

道順はしっかりと覚えていた。モスクワの威風堂々とした建物を見て歩きながら、ホテルの近くまで来たとき、大きな広場が見えたので、ちょっと寄ってみることにした。やたらと広い。地球が丸いのがわかるような気がするくらいの広さだ。正面には大聖堂がそびえ立っている。まるでストロベリー・アイスと綿菓子でできたおとぎの国の建物だ。いままで見たどんな建物とも似ていない。高さも太さもそれぞれ異なる塔が林立している。それぞれの塔の先端には、円錐形やタマネギ状のドームがついていて、赤、緑、青、黄、白といった色で市松模様や渦巻き模様が描かれている。それぞれのドームのてっぺんには大きな十字架がとりつけられている。

そのまわりをゆっくり歩くと、建物のかたちが少しずつ変わっていくように見える。左右対称になっているところがどこにもないからだろう。どこから見ても、ちがったかたちに見える。考えてみれば、ロシアに着いてから見てきたものの多くがそうだった。偶然と作為があちこちでぶつかりあっている。

広場の右側には、氷がはった堀があり、その向こうには、赤レンガの高い壁がある。それがクレムリンと呼ばれるものだろう。としたら、その向こうには、ロシアの支配者であるアレクサンドル二世が住んでいる宮殿があるにちがいない。

広場からは数本の広い通りがのびている。そのひとつを歩いていくと、しばらく行ったところに標識があり、それがネグリンナヤ通りだということがわかった。通りの両側には商店が軒をつらね、通りのまんなかには屋台がならんでいる。

商店には色あざやかな看板がかかっていて、それを見れば、そこで何を売っているかが一目でわかる。たとえば、毛皮のコートとか、帽子とか、ブーツとか。菓子を売っている店も多く、その種類の多さには驚かされる。

屋台で売っているのは安手のものが中心で、ナイフ、タバコ、カバン、古着、ボタン、布きれなど、あらゆるものがそろっている。十字架とか木の聖者像とか宗教にかかわりのあるものも多い。それを見たかぎりでは、ロシア人はどうやらイギリス人より信仰心があついようだ。

熱い紅茶を手押し車にのせて売り歩いている者もいる。首には、紐を通した菓子をさげている。それも売り物だろう。

交差点にはかならず交番があり、警官がいる。警官は灰色の制服を着て、頭に黒いヘルメットをかぶり、腰に剣をさしている。みな退屈そうで、なかには居眠りをしている者もいる。

懐中時計を見ると、そろそろホテルにもどったほうがいい時間になっていた。脇道と交差したところで、ふと立ちどまったとき、だれかに後ろから体をぶつけられた。ふりかえると、その男は小さな声で悪態をつきながら、シャーロックの脇を通りぬけて歩き去った。

そのとき、交番の前から、大きな声が聞こえてきた。分厚いコートと毛皮の耳当てつきの帽子に身を包んだ男が、派手な身ぶり手ぶりで警官になにやら訴えている。シャーロックがその場をはなれようとしたとき、その男がふりかえって指を突きだした。警官はいぶかしげな顔をしている。

背中に寒気が走った。

男はなにかを盗られたと言っているようだ。コートのポケットに手をいれたり出したりしている。スリにあったと訴えているのだろう。男はまた指を突きだした。シャーロックはふりかえったが、自分の後ろ十メートル以内にはだれもいない。自分以外に指されている者はいない。

シャーロックはきょとんとした顔をして両手をひろげた。それでわかってもらえるだろうと思ったが、そうはならなかった。警官はいかめしい顔で手招きをした。

そのとき、男の顔にちらっと笑みが浮かんだ。そこには獲物が罠にかかるのを待っている者の表情があった。シャーロックの視線に気づくと、笑みはすぐにその顔から消えた。

ふと思いついて、ジャケットのポケットに手を突っこむと、そこにあるはずのないものに指がふれた。四角くて、手ざわりは革……

財布だ。

それではっきりとわかった。やはり罠だったのだ。後ろからぶつかった男が、財布をこっそりポケットにすべりこませたにちがいない。警察と話をしている男は、もちろんなにも盗まれていない。もうひとりの男とはグルで、シャーロックのポケットに財布をすべりこませるのを見届けてから、警官のところへ行って、うそをついたのだ。けれども、警官にポケットを調べられ、財布を見つけられたら、言い逃れはきかない。それは自分の財布だと男が主張するのはまちがいない。動かぬ証拠だ。このままでは、つかまってしまう。

困った。

警官の顔はさっきよりもっと厳しくなっている。

胸の鼓動がはやくなる。わきの下は汗ばんでいる。汗が背中を伝って落ちるのがわかる。シャツは肌に密着している。

こんな国で逮捕されたら、日の光を見ることは二度とできないかもしれない。公平な裁判を受けられるかどうかすらわからないのだ。罠をしかけた連中が思いつきで動いているとは思えない。ぬかりはないはずだ。判事や陪審員に手をまわしている可能性もある。

自分はこの国の裁判のことをなにも知らない。この国に判事や陪審員がいるかどうかすらわからない。イギリスにいたときに読んだ新聞の記事によると、ツァーリの権力は秘密警察によって支えられているという。連れていかれたら、二度ともどってくることはできないという話もある。

走って逃げたらどうか。そのくらいのことは、向こうも考えているだろう。まわりにいる買い物客のなかにも、彼らの仲間がひそんでいるかもしれない。

左側にいる黒いコートと毛皮の帽子の男は、目があった瞬間、すばやく顔をそむけた。右側にいる天然痘のあとが残っている十代の少年は、険しい目でこちらを見ている。毛皮のコートのポケットに手を突っこんでいる女性は、近くにいたタバコ売りのところへとつぜん歩いていった。

少なくとも三人はいる。本当にそうだとしたら、走って逃げようとしても、すぐにつかまってしまう。

なにかいい方法はないかと思って、周囲にもう一度目をやったが、なにも見つからない。武器になりそうなものを置いている屋台もない。大声で助けを求めても、だれも来てくれないだろう。

警官がつかつかと歩いてくる。剣は腰にさしたままだが、長い警棒を右手に握って、抵抗したら容赦しないぞと言いたげにブンブンふりまわしている。

とつぜん強い風が吹き、紅茶のにおいがした。ふりかえると、すぐ後ろに紅茶売りの男がいた。

シャーロックはとっさに二歩前に進みでて、その男の背中を強く押した。

紅茶売りの男は前につんのめった。手押し車は前に転がっていき、一メートルほど先の歩道のへりにぶつかった。片方の車輪が宙に浮き、車体が横にぐらっと傾く。紅茶の容器が地面に落ち、ふたがとれる。紅茶がこぼれて、白い雪が茶色くにごる。まわりにいた人々があわてて飛びのく。足に紅茶がかかって、やけどをし、悲鳴をあげている者もいる。

さっきの三人と警官が騒動に気をとられているすきに、シャーロックは急ぎ足で歩きだした。できるだけ体を小さくし、目立たないように動けば、人ごみにまぎれこむのはむずかしくない。

背後からどなり声が聞こえた。警官だ！　見つかってしまった。警棒を手に持って追いかけてくる。その道筋にいる者は押されて、よろけたり、突き飛ばされて、転んだりしている。

シャーロックは走りだした。なんとか追っ手をふりきって、ホテルにもどり、このことを兄に話さなければならない。

甲高い笛の音がしたので、ふりかえると、そこにはまだ警官の姿があった。

雪に足がすべって、ころびそうになる。体勢を立てなおして、前方を見ると、通りの角に別の交番があった。警官が外に出てきて、こっちを見ている。さっきの笛の音を聞いたのだろう。

前には行けない。後ろにももどれない。どこかに逃げこむことができる戸口や路地があるかもしれないと思って、まわりを見まわしたが、通りぞいには色とりどりの看板をかかげた店しかない。

しかたなしにもう少し先に行ってみると、あった。地下におりていく階段だ。その先が行きどまりになっていないことを祈りながら、そこへ走っていく。階段には手すりがついていたので、それにつかまって、下におりていく。

だが、地下道は木の板でふさがれていて、そこから先には行けないようになっていた。隠れられるところはない。

ふりかえって、階段のほうを見たとき、とつぜん大きな笛の音が聞こえた。さっきの警官が一メートル先にいる。ここにはいったところは見られていないはずだが、念のために、頭はつねに歩道の高さより下になるように気をつけていなければならない。

少しはなれたところから、別の笛の音がした。三番目の笛の音がそれにつづいた。モスクワ中の警官に追われているような気がする。

足音が近づいてくる。見つかるのは時間の問題だ。

もしかしたら木の板にすきまがあるかもしれないと思って、ふりむいたとき、地面に鉄のマンホールのふたがあることがわかった。ひざをついて、引っぱったが、重い。なんとか二センチほど持ちあげたが、汗のせいで手がすべって、下に落としてしまい、ぐぐもった大きな音がした。もう一度やってみると、こんどはもう少し上まであがり、その下に指をいれることができた。ここで落としたら、指はまちがいなくぺしゃんこになる。

ありったけの力をふりしぼると、それでなんとかふたを持ちあげ、横にずらすことができた。

泥と汚水のにおいが立ちのぼってきて、息がつまりそうになる。外からさしこむかすかな光で、穴にとりつけられている鉄のはしごが見える。

選択の余地はない。足を下におろして、はしごをおりはじめる。穴のなかに頭まではいると、マンホールのふたのへりをつかんで、横にすべらせる。ふたの裏に取っ手がついていたので、こんどはそれをつかんで、もとの位置にもどす。

これでマンホールのふたをあけたことはわからないだろう。

本当は、鉄のはしごにつかまって、暗がりのなかでいつまでも待つつもりだった。だが、そうはならなかった。はしごは苔むし、濡れていて、つかまっているのは簡単でなかった。

マンホールの上から足音が聞こえてきたとき、指がけいれんし、手がはしごからはなれた。

シャーロックは暗闇(くらやみ)のなかを落ちていった。だが、悲鳴をあげはしなかった。

13

骨がくだけるのは覚悟していた。だが、落ちたところは石やレンガの上ではなく、水のなかだった。そこには氷のように冷たい水が流れていた。

深さは一メートルほどしかない。背中が水の底にあたると、すぐに手足をばたつかせて水の上に出た。

片方の足を前に出して踏んばっていないと、水に流されてしまう。

まわりは闇に包まれている。冷たい水に体温と体力をどんどん奪われていく。

どうやら下水道のようだが、横の壁のほうに手をのばしても、壁のようなものがある気配はない。水の流れる音もなんとなくおかしい。地下道なら、音がもっと反響するはずだ。

暗闇に目が慣れてくるにつれて、そこにも光があることに気がついた。頭上にあるマンホールのふたに小さな穴があいていて、そこから数本の細い光の筋がのびているのだ。前にも後ろにも同じような光の筋が見える。それを頼りに進めばいいということだ。

流れている水も見える。三メートルくらいはなれたところにあるのは、石を積みあげた土手だ。急な斜面になっていて、ところどころに、ひょろ長く白っぽい草がはえている。斜面の上には、高さ一メートルほどのレンガの壁があり、それが同じレンガの天井を支えている。天井からは、苔がたれさがっていて、奇妙な生物が獲物を求めて触手をのばしているように見える。

上のほうからとつぜん大きな音がして、ぎょっとした。だれかがマンホールのふたをあけたのだ。明るい光が上からさしこんできて、にごった黒い水に反射する。

姿を見られないよう、シャーロックは水の流れている方向へ急いで歩きはじめた。

「いったいどこにいるんだ。本当に下におりていったと思うか」

上から小さな声が聞こえてきた。フランス語だが、強いなまりがある。たぶんロシア人だろう。

「なにも見えない。ここは下水道なのか?」

もうひとりの男がしわがれた声で聞いた。やはりフランス語だが、なまりはない。

「知らないのかい。これはネグリンナヤ川だ。一キロほど先でモスクワ川に合流している。五十年ほどまえの市の再建計画の一環として、上からおおいをかぶせられ、地下を流れるようになったんだよ」

シャーロックはまわりを見まわした。これは下水道じゃなくて、川だったのだ。それなら納得がいく。上流のほうは地上に出ているにちがいない。だが、このあたりは五十年もまえから闇のなかに閉じこめられているのだ。

モスクワ川まで一キロなら、どうにかたどりつけるはずだ。

「やつがここにはいったのはまちがいない」と、しわがれ声の男が言った。「ほかに逃げ場所はない。問題は上流に行ったのか、下流に行ったかだ」

「下流だろう。流れに身をまかせたほうが楽だからな。流れに逆らわなきゃならない理由はない。あんたは下におりて、やつのあとを追ってくれ。見つかりしだい殺すんだ。死体は水のなかで腐る」

「どうして通りを歩いているところをつかまえなかったんだ。どうしてわざわざスリに仕立てあげなきゃならなかったんだ」

「通りでつかまえようとしたら、どんな騒ぎになるかわからない。もしかしたら警官が出てくるかもしれない。市内にはいたるところに警官がいるからな。おれたちはやつがじゃまなだけだ。だから、警官に逮捕してもらうのがいちばんいい。だが、いまはちがう。ここではだれも見ていない。つまり、殺してもかまわないってことだ。さあ、下におりていけ」

「あんたはどうするんだい」

「おれはさっきの警官のところへ行って、地上を見張っていてくれと頼んでくる。ネグリンナヤ川ぞいにできるだけ多くの警官を配置してもらう。モスクワ川に出るところで落ちあおう」

のんびりしてはいられない。男がはしごをおりてくるまえに逃げなきゃならない。

シャーロックは水しぶきを立てないようにしてまた歩きはじめた。足は冷たい水につかっている。靴のなかには水がはいっていて、歩くたびに奇妙な音をたてる。水のにおいは強烈だ。ここは川らしいが、実際は下水道としても使われているのだろう。

背後から、男がはしごをおりてくる音が聞こえた。と、とつぜん叫び声があがり、レンガの天井に反響した。それにつづいて、水しぶきの音があがる。手をすべらせて、はしごから落ちたのだろう。波が押しよせてくる。

もしかしたら、男は立ちあがれないのかもしれない。水におぼれたのかもしれない。

そう思った瞬間、暗闇のなかから咳きこむ音が聞こえた。期待ははずれた。逃げなければならない。

土手にあがろうかと一瞬思ったが、すぐに考えなおした。いまは見えないが、さっき見たときは、斜面は急で、ぬるぬるしていた。すべって転んで、水のなかに逆もどりしたら、時間の浪費にしかならない。水は冷たくて、くさいが、我慢するしかない。

別のマンホールのふたが近づいてきた。そこの穴からかすかな日の光がこぼれている。その光が肩や頭にあたると、見つかってしまう。

あわてて右側の土手のほうに体を移動させる。

はしごが光に浮きあがって見える。いちばん上でレンガの壁に固定されていて、川の底までのびているようだ。はしごの段は濡れ、さびついているが、のぼれなくはないだろう。その上まで行って、マンホールのふたをあけることも考えたが、結局それもやめた。失敗する要素が多すぎる。体に光があたったら、姿を見られてしまう。運よくはしごの上まで行けたとしても、マンホールのふたが重くて、開かない可能性もある。たとえふたが開いたとしても、その向こうには大勢の警官が待ち受けているかもしれない。

やはりこのまま進むしかない。

歩きながら手で水をかいていると、なにかにふれた。ドブネズミかと思って、小さな悲鳴をあげたが、実際はただのゴミだった。通りの鉄格子のすきまから捨てられたものだろう。それでも、心臓はまだ蒸気機関のように動悸を打ち、両手はぶるぶる震えている。

川の底には泥がたまっているので、歩くたびに足を引っぱりあげなければならない。足首に水草がまとわりつくので、歩く速度はさらに遅くなる。足をあげるたびに、水草の根が泥からぬけるのがわかる。

後ろからは規則正しい音が聞こえてくる。バシャバシャという水のなかを歩く音。そして、こわれかけた機械のような荒い息づかいの音。

もしかしたら、前方に出口が見えるかもしれない。そう思って、暗がりに目をこらした。この川がモスクワ川と合流しているところには、アーチ形か円形かの開口部があるにちがいない。けれども、なにも見えない。前方には暗い闇がどこまでもつづいている。

もしかしたら、川の出口はレンガ張りになっていて、天井まで水が来ているのではないか。あるいは、ふたつの川の合流点に鉄格子かなにかがはめこまれているのではないか。

そこから外に出られなかったら、あともどりして、追っ手がいるところに向かっていかなければならない。

考えはまとまらず、頭のなかで堂々めぐりをくりかえすばかりだ。

冷静にならなきゃならない。助かるためには、集中しなきゃならない。

なにかが顔にふれた。ぎょっとして、思わず悲鳴をあげそうになったが、手の甲で口をふさぎ、歯を食いしばって、なんとかこらえる。

なにかわからないが、冷たく、ぬるぬるしている。顔の前で手をふりまわすと、湿ったものが手首に巻きついた。苔だ。苔が天井からたれさがっているのだ。引っぱると、苔は壁のレンガから簡単にぬけた。

ふたたび歩きはじめたときに気がついたのだが、爪先の感覚がまったくない。

後ろからは、水のなかを歩く音と荒い息づかいの音がたえず聞こえてくる。が、ふりかえっても、見えるのは暗闇だけだ。いつ肩をつかまれて後ろに引きたおされ、川底に沈められるかわからない。漆黒の闇のなかでおぼれ死んだら、死体が発見されることは永遠にないだろう。

そのとき、ふと思いついた。ここで土手にあがって、追っ手が通りすぎるのを待ったらどうか。

このあたりの土手の傾斜はゆるやかなので、すべり落ちるようなことはない。それで、つぎのマンホールをこえたところで、川岸のほうへ向かった。手をのばして、白っぽい草をつかみ、体を引っぱりあげる。

暗がりのなかから、なにかが低いうなり声をあげながら前に進みでた。

四本の短い足、とがった鼻。目は黒くて、小さい。耳は異様に大きい。口にはガラスの破片のような鋭い歯がならんでいる。体は茶色と黒の毛でおおわれている。

その後ろにも、同じような動物が三匹いる。

犬だ。だが、いままで見た犬とはまったくちがう。この地下の川に迷いこんだ野良犬の子孫で、ネズミや魚をとって食べながら、何世代にもわたって生きのびてきたのだろう。暗闇のなかで目は退化し、そのかわりに耳が発達したにちがいない。彼らにとっては、音がすべてなのだ。

一瞬、ウォータールー駅の地下道に住んでいる子どもたちのことを思いだした。モスクワの犬には少なくとも生きのびるための爪と歯がある。だが、ウォータールー駅の子どもたちはなんの武器も持っていない。唯一頼りになる知性さえ失いかけている。

いちばん前の犬が鼻にしわを寄せた。においをかごうとしているようだが、川から立ちのぼってくる悪臭のせいで、鼻はきかない。こんどは耳をぴくぴくと動かしはじめた。犬との距離はいくらもない。だが、動きさえしなければ、音は聞こえないはずだ。

少なくとも理屈の上では……

手は冷たく、いまにも震えだしそうだった。その手を握りしめたとき、指がひきつり、肌と肌がこすれあった。ごく小さな音だったが、犬たちにとっては爆発音のように聞こえたにちがいない。

先頭の犬が飛びかかってくる。あわてて手を引いたので、すんでのところで嚙みつかれずにすんだ。犬は頭を引いて、吠えはじめた。ほかの三匹もそれにならった。音がこだまし、闇のなかを行ったり来たりしはじめる。

シャーロックは後ろにさがり、そのために水が動いて、小さな音がした。先頭の犬が口を大きく開いて、また飛びかかってくる。

そのとき、後ろから首をつかまれ、体をねじられた。

「つかまえたぜ、小僧」

男のしわがれ声が聞こえると同時に、犬がその腕に噛みついた。元々ねらっていた腕ではないが、そんなことはどうだっていい。

犬の歯はよほど深く肉に食いこんだにちがいない。そのしわがれ声からは想像もできないほどの甲高い大きな悲鳴があがった。

喉をしめつけていた手の力がゆるんだので、シャーロックはすばやく体を後ろに引いた。マンホールのふたのすきまから光がさしこんでいるので、そこでなにが起きているかはなんとか見てとることができた。水のなかでは、男が犬と取っ組みあっている。別の二匹の犬が土手から飛びおりる。一匹は水にもぐって、男の足に噛みつき、もう一匹は男の胸に飛びかかって、喉に噛みつく。男は腕をばたつかせながら、汚い水のなかへ後ろ向きに倒れこんだ。

三匹目が水に飛びこむのを見ながら、シャーロックはあとずさりした。土手にあがろうかと一瞬思ったが、そこにはほかの犬が隠れているかもしれない。否でも応でも水のなかを進むしかない。

背中の後ろから、水がはねる音と男のあえぎ声が聞こえた。それから、また水がはねる音がして、あとはもうなんの音もしなくなった。

しばらく行ったところで、前方に小さな光が見えた。闇夜に浮かぶ門灯のようだ。さらに先へ進むと、川の水は渦を巻きはじめた。光がだんだん明るく、まぶしくなってくる。少しずつかたちがはっきりしてくるアーチの向こうには、灰色に濁った大きな川がある。

アーチの前に着いたときには、目が慣れてきて、外の明るさにもまぶしさは感じなくなっていた。そこには扉も鉄格子もなかった。そこからモスクワ川の水面までは三十センチくらいで、水は小さな滝のように垂直に流れ落ちている。モスクワ川の堤防に穴があけられているのだろう。

ゆっくりと前に進み、片方の手でアーチの側面のレンガをつかむ。身を乗りだして、周囲を見まわす。

上を見あげると、通りまでは二メートルほどの距離があることがわかった。すぐ横に、黒いペンキから赤いさびが浮きでた鉄のはしごがかかっている。それをのぼって通りに出たら、まちがいなく警察につかまる。そこには、財布を盗まれたと警官に訴えていた男もいるはずだ。

もう一度まわりを見まわしたとき、さっきは見逃していたものに気づいた。堤防の途中に幅三十センチくらいの平らなところが通路のようにのびている。そういうところが上にも下にもほぼ二メートルごとにあり、堤防は上に広がっていくようにつくられている。たぶん、洪水をふせぐためだろう。そこを綱わたりをするように歩いていけば逃れられる。

それから三十分ほどのあいだに、三度モスクワ川に落ちそうになった。服はもう濡れていない。川を吹きぬける風のせいで乾いたか、でなければ、凍ってしまったのだろう。

つぎの鉄のはしごをのぼると、数メートル先に、石炭のコンロの上で栗を焼いて売っている男がいた。コンロの横にすわらせてもらうには、数コペイカわたすだけでよかった。三十分ほど体をあたため、二袋分の焼き栗を食べると、ようやく腰をあげる気になった。

焼き栗売りの男に礼を言い、ホテルに向けて歩きはじめる。足もとはおぼつかないが、体は乾き、あたたまっている。

スラビヤンスキー・バザール・ホテルまでは、わずか二十分ほどだった。ホテルの正面玄関が見えたときには、額に玉の汗が浮かんでいたが、モスクワの風は身を切るように冷たい。汗は熱を奪われ、すぐに凍りついてしまう。

ホテルの前には、黒い馬につながれた馬車がとまっている。車体には、家紋も名前もはいっていない。扉は横ではなく、後ろについている。御者は粗末な灰色の服を着て、毛皮の帽子をかぶっている。

三人の男がホテルから出てきた。そのうちのひとりは御者と同じような格好だが、もうひとりは仕立てのいい黒いスーツとチョッキを着ている。

兄さんだ。

ふたりの男のあいだで身をよじり、必死に抗議をしているように見える。だが、距離があるので、なんと言っているのかはわからない。

御者が座席からおりてきて、ふたりの男がマイクロフトを馬車に乗せるのを手伝った。そのあと、ふたりの男が馬車に乗りこみ、ドアを閉めると、御者は外側から扉に錠をおろした。

御者は座席にもどり、ムチをふりおろした。馬は走りだし、馬車は引っぱられていった。目の前が真っ暗になる。この数時間のできごとのあと、いや、この数週間のできごとのあと、このような結果が待ちうけているとは夢にも思わなかった。兄を秘密警察に連れ去られ、外国の街の通りにひとりで立ちつくしているのだ。

なにかいい方法はないか。兄を救いだすための手立てをなんとかして見つけださなければならない。困った。本当に困った。どうしたらいいかまったくわからない。

14

「命と自由を奪われたくなければ、なにも見なかったことにしたほうがいい」

ふりむくと、横にひとりの男が立っていた。古いコートのえりを立て、毛皮の帽子を目深にかぶっているので、顔はよく見えない。

「どういうことでしょう」

「皇帝官房第三部は目に見えないものなんだよ。これまでも多くのひとが通りから連れ去られている。でも、それを見た者はいない。みんな見て見ぬふりをしているからだ」

「連れ去られた者はどうなるんです」

「運がよければ、ただちに死刑を執行される。運が悪ければ、プレッチで責めさいなまれる」

「プレッチ?」

「ムチのようなものだ。でも、ムチよりずっとおそろしい。比べものにならない」

男がロシア語ではなく、フランス語で話していることに、シャーロックはこのときふと気がついた。

「あなたはだれなんです」

「わたしの名前はロバート・ウォーマスリー」

「じゃ、兄さんの——兄さんの友だちですね」

シャーロックが言いかけてやめたのは〝情報員〟という言葉だった。

「そのとおりだ。きみはマイクロフトの弟だね。目がよく似ている。そっくりだ。きみの話はいろいろ聞いてるよ」

通りに視線をもどしたとき、馬車は角をまがって視界から消えた。

「兄は連れていかれてしまいました。これからどうすればいいんでしょうか」

「してはいけないことなら教えられる。ホテルにもどることだ。ホテルにもどったら、そこで待ちぶせしている男につかまってしまう。それより、この近くに小さなカフェがある。そこで一息つけばいい。きみにはあたたかい飲み物が必要だ。わたしもどこかに腰かけて、一休みしたいと思っていたところだしね。そこで、これからの方策を考えよう」

「わかりました。行きましょう」

カフェまでは歩いて十分もかからなかった。それはオフィスビルの地下にあり、外から鉄の階段をおりていくようになっていた。階段の下には小さなテラスがしつらえられていて、店はその奥のガラス戸をぬけたところにあった。

ウォーマスリーはそこにはいっていき、シャーロックを席につかせたあと、小さなカウンターの前へ行って、ふたつの紅茶のカップを持ってきた。

シャーロックは店内を見まわした。男も女も子どももいる。ひとりの者もいるし、連れだって来ている者もいる。みな服を何枚も重ね着している。男たちはたいてい新聞か本を読んでいる。こちらの様子をうかがっているように見える者はいない。

ちょっと気になったのはひとりだけだった。分厚いコートを着て、パンケーキのようなものを食べている、ジャガイモみたいなでこぼこの顔の男だ。そんなはずはないのだが、どこかで見たことがあるような気がしてならない。

ウォーマスリーはテーブルの上に皿を置いた。

「これはピロシキといってね。パイのなかに、肉や野菜やいろんなスパイスがはいっている」

ウォーマスリーはコートと帽子を脱いで、となりの椅子の上に置いた。年は二十代で、体はほっそりとしている。ブロンドの髪はていねいになでつけられ、口ひげはペン先で描いたように細い。あごひげはきれいに切りそろえられている。

シャーロックは紅茶を飲みながら、さっきの男にもう一度目をやった。どこかで見たことがあると思うのはなぜなのか。いくら考えてもわからない。たぶん気のせいだろう。よく見ると、手がかすかに震えている。どこか気分が悪いのかもしれない。

「あなたはロシアの秘密警察に逮捕されたと、兄は考えていました」

ウォーマスリーはほほえんだ。

「それでわざわざ来てくれたのか。あのマイクロフトがわざわざロシアまで？　これほど名誉なことはないよ」

「実際はなにが起こったんです」

シャーロックはカップを置いて、ピロシキを一口食べた。なかには牛肉のミンチとマッシュルームが詰まっていて、熱さと湯気のせいで唇をやけどしそうになった。

「ある日、帰宅したとき、皇帝官房第三部の連中が部屋を荒らしていたんだ。でも、さいわいなことに、気づかれるまえに逃げだすことができた。それからもう一週間以上たつ。そのあいだ、ずっと安ホテルを転々としていたんだよ。マイクロフトに連絡をとりたかったんだが、それはそんなに簡単なことじゃない。電報局はすべてツァーリの監視下にあるからね。それにしても、まさかあのマイクロフトが重い腰をあげ、わたしの安否をたしかめるためにここまでやってくるとは思わなかったよ」

「それだけじゃありません。あなたのためだけじゃないんです」

シャーロックはロンドンとモスクワで起きたことをかいつまんで話した。

話がすむと、ウォーマスリーは椅子の背にもたれかかって、紅茶を飲んだ。

「なるほど。興味深い話だ。興味深いと同時に、奇妙な話でもある」

「こわれた陶器の破片のようなものです。その破片をつなぎあわせたら、どんなものができあがるか、いまのところはまったくわかりません」

「マイクロフトが逮捕された理由によるだろうね。ここへは本名で来たのかい。それとも偽名を使ってるのかい」

「兄はサイガーサンという偽名を使っています。肩書きは劇団のマネージャーです。ロシアの大公に招待されて、ここに来ているのです」

ウォーマスリーはうなずいた。

「うまい偽装だ。わたしの部屋には行ったのか」

「ええ、ふたりで行きました」

「だから逮捕されたんだ。連中はあの部屋を見張っていたにちがいない。マイクロフトを連行したのは、わたしの隠れ場所を知っていると思ったからだろう」

「でも、それでは筋が通りません。そうだとすれば、兄だけでなく、ぼくたちふたりをその場で逮捕したはずです。わざわざホテルに帰るのを待ってから逮捕する必要はなかったはずです。ぼくにスリの罪を着せようとしたわけも説明がつきません」

紅茶とピロシキのおかげで、それまで麻痺していた頭がようやく動きはじめたみたいだった。

シャーロックはしばらく黙りこみ、クロウ先生に教わったとおり、頭のなかで考えを整理し、さまざまな角度から検討を加えてみることにした。これを動物が地面に残したあとと同じように考えたらどうなるか。その動物はどちらの方向へ行ったのか。大きさは？数は？

そこではたと思いあたり、息をのんだ。

「もしかしたら、ふたつの組織が別々に動いているのかもしれません。一方は兄に無実の罪を着せた。もう一方は兄を逮捕して、馬車でどこかへ連れていった。最初のは秘密の組織で、もうひとつはおおやけの組織です」

ウォーマスリーはゆっくりとうなずいた。

「そこまでは同意する。先をつづけてくれ」

「おおやけの組織というのは皇帝官房第三部です。もちろん、なんの罪もない劇団のマネージャーを逮捕しなければならない理由はどこにもありません。でも、それがマイクロフト・ホームズだってことを知っていたとしたら、どうでしょう。イギリス政府の役人が身分をいつわって、モスクワでひそかに活動していたわけですから、逮捕されるのは言ってみれば当然のことです」

ウォーマスリーはまたうなずいた。

「そのとおり。問題は、だれがそのことを皇帝官房第三部に教えたかだ。おそらくはきみの言う秘密組織だろう。でも、その秘密組織がマイクロフトの逮捕を望んでいた理由はいったいなんなのか」

「兄がじゃまだったからじゃないでしょうか。いや、そうじゃない。それじゃ筋が通りません。じゃま者をとりのぞけばいいだけなら、もっと簡単な方法はいくらでもあります。兄が逮捕されたのはそれなりの理由があったからです。兄は皇帝官房第三部によって逮捕されなければなりませんでした。このまえ兄から聞いた話だと、皇帝官房第三部の長はピョートル・アンドレーエビッチ・シュバーロフ伯爵という人物です。数年前にフランスで会ったことがあるとのことでした」

ウォーマスリーはもっと小さな声でという仕草をした。

「その名前はおおっぴらには言わないほうがいい。だれがどこで聞き耳を立てているかわからない。名前を口にしただけで、要注意人物扱いされる」

シャーロックは興奮していた。心のなかで、ジグソーパズルのピースがひとつひとつはまっていき、絵の全体像がじょじょに見えてきはじめたのだ。

兄が皇帝官房第三部によって逮捕されることを秘密の組織が望んでいたのは、そうすればシュバーロフ伯爵とマイクロフトが直接話すことになるという読みがあったからだ。なぜ直接話をさせたいのかはひとまず置こう。とにかく、すぐれた外交官であり、面識もある人物の取り調べを、シュバーロフ伯爵が部下にまかせるとは考えにくい。そんなことをしたら、そこから外交上の秘密がもれるおそれもある。取り調べは礼を失さないよう慎重に行なわれるはずだ。場所は、おそらくシュバーロフ伯爵のオフィスだろう。そこなら、打ちとけて話せるし、じゃまがはいるおそれもない。兄は重要人物であり、ぞんざいに扱うことはけっして許されない。

驚くべきことだが、それが真実なのだ。一見途方もないことのようだが、まちがいない。なにもかも最初から入念に仕組まれていたのだ。

ロンドンで起きた事件は兄をモスクワにおびき寄せるためのものだった。ディオゲネス・クラブで殺人事件をでっちあげたのは、報告書から目をそらさせるためではなくて、報告書に確実に目をとおさせるためだったのだ。殺人事件をでっちあげてまで読ませたくないものであると思わせることができたら、兄がオフィスにもどったとき、そこに重大な関心を向けるのはまちがいない。それは釣り糸の先にぶらさがっているエサであり、それに食いついたから、兄はモスクワまで引き寄せられることになったのだ。

ウォーマスリーは目をこらして見つめているが、考えるだけで精いっぱいで、話をしている余裕はなかった。陶器の破片が頭のなかで組みあわさり、細部が少しずつあきらかになってきつつあるのだ。

驚くべきことだが、劇団の公演の話も例外ではない。そういう話が舞いこんできたことを兄は偶然だと思っていたが、実際はそうでなかった。秘密の組織は、兄をモスクワに誘いだし、皇帝官房第三部によって逮捕されることを望んでいた。そのために、モスクワに行く理由と手段を用意した。すべてが最初からお膳立てされていたのだ。

劇団員の顔が次々に頭に浮かんでくる。カイト、マルビン、ディモック、ローラン夫人、それから指揮者のイーブスと楽団員たち。裏方はどうなのか。パウリー、ヘンリー、ジューダ、リディアン。全員がグルだったのか。役者でない者まで演技をしていたのか。だとしたら、なんという大がかりな芝居なんだろう。

いまから考えると、いろんなことがはっきりとわかる。秘密の組織の側からすれば、兄はロンドンで逮捕されることによって混乱をきたし、モスクワに行くためのどんなエサにでも簡単に食いつくはずだった。けれども、そこに自分とクロウ先生が割りこんできた。

じゃま者は排除しなければならない。これで博物館でのできごとは説明がつく。彼らは想定外の事態に対してすばやく善後策を講じた。それで本筋が見えにくくなってしまったのだ。

あと一息だ。興奮のあまり息は荒くなり、神経は切れそうなくらいに張りつめている。すべては兄とシュバーロフ伯爵をふたりきりにするためだった。そういう場ができるように仕向けるためだった。

でも、どうしてなのか？　ここまでのことがあきらかになれば、答えを出すのはそんなにむずかしいことではない。その目的はシュバーロフ伯爵を殺すこと、そしてその罪を兄に着せることだ。無実の人間に罪をおっかぶせるのは、彼らの十八番だ。さっき自分にスリの罪をなすりつけようとしたように、いまは兄に殺人の罪を着せようとしている。

顔をあげると、ウォーマスリーと目があった。

「そして、あなたもその秘密の組織の一員です。ちがいますか」

シャーロックはだしぬけに言ったが、それは思いつきでもなんでもない。それを裏づける証拠もある。

ウォーマスリーは称賛の目で見つめた。

「さすがはマイクロフトの弟だ。すばらしい」

すべての客が話をしたり、食べたり飲んだりするのを同時にやめたみたいに、店内が急に静かになった。

ウォーマスリーはうなずいた。細い唇がねじれて、微笑に変わる。

「そう、そのとおり。わたしはきみの言う秘密の組織の一員だ。よくわかったね。でも、きみにとっては、それくらいのことは朝メシまえなんだろう。なんといっても、マイクロフトの弟なんだからね。どうしてわかったんだい」

シャーロックはつとめて穏やかな口調で答えた。

「理由はふたつあります。ひとつは、ひげです。あなたは一週間以上安ホテルを転々としていると言っていました。なのに、あなたのひげは手入れが行きとどいています。本当なら、そんなことを気にしている場合じゃなかったはずです」

ウォーマスリーはあごをなでた。

「いい指摘だ。身だしなみだけはどうしてもないがしろにできなくてね。で、もうひとつの理由は？」

「あなたの部屋です。あそこは皇帝官房第三部が捜索したことになっています。それにしては、部屋の散らかりようが不自然でした。陶器やガラスの破片がみなこわれた家具の上に落ちていたのです。つまり、最初に大きなものがこわされ、そのあとで小さなものがこわされたということです。ふつうなら、そんな秩序だった散らかし方はしません。それは家さがしじゃありません。家さがしに見せかけるための演出です」

ウォーマスリーはうなずいた。

「なるほど、これからは気をつけよう。すばらしい観察力だ、ホームズ君。おそれいったよ」

シャーロックは周囲を見まわした。

「まわりには多くのひとがいます。ぼくをここから無理やり連れだそうとしたら、みんな黙っちゃいないと思いますよ」

ウォーマスリーはとつぜん笑いはじめた。

「きみは知らないかもしれないが、ロシア人は見て見ぬふりをするのが習い性になっていてね。うそだと思うなら、試してみようか」

ウォーマスリーは店内をゆっくり見まわし、それからパチンと指を鳴らした。

全員がふりむいた。だが、だれの顔にも驚きの表情は浮かんでいない。

それでわかった。ここにいるのはみんなウォーマスリーの仲間なのだ。

たとえば、店の奥の壁ぎわにすわっているふたりの女性。ひとりは若く、茶色の髪を後ろでひっつめ、頭にスカーフをかぶっている。もうひとりは中年で、毛皮の帽子をかぶっている。ディモックさんとローラン夫人だろうか。そんな気がするが、確信は持てない。とそのとき、若いほうの女性がほほえみ、それでメイクの下のあごの本当の線が浮きあがった。ディモックだ。

つぎに男性陣。あの男が指揮者のイーブスなら、ひげをそったのかもしれない。いや、そうではなくて、付けひげをとっただけかもしれない。

ジャガイモのような顔の男がウィンクをし、顔の皮膚を引っぱって、はがしはじめた。本当の顔が少しずつあらわれる。赤みがかった頬、カリフラワーのような鼻。ファーネスだ。

「やれやれ。かゆくてたまらなかったよ。そう。メイク用のパテさ。覚えているだろ」

そして、四人の子どもたち——ジューダ、パウリー、ヘンリー、リディアン。みんな厚着をしている。顔にすすを塗ったり、偽物の歯をつけたり、口に詰め物をいれて頬をふくらませたり、メイクで顔の線を変えたりしている。

パウリーは軽く会釈をした。ヘンリーはなに食わぬ顔で肩をすくめた。

ほとんどのことは推理でわかった。だが、これはまったく予想外のことだった。

「それで、これからどうするんです」と、シャーロックは聞いた。

「ここにすわって、紅茶を飲んだり、ピロシキを食べたりしていればいい。店のことを気にする必要はない。主人には金をたっぷりつかませてある。しばらくしたら、シュバーロフ伯爵は死に、マイクロフトは殺人罪で逮捕される」

「どうしてそんなことをしなきゃならないんです。兄をモスクワまでおびき寄せなくても、自分たちで殺せばすむことじゃないですか」

ウォーマスリーは肩をすくめた。

「シュバーロフ伯爵の警備がどれだけ厳重か知っているか。本人がおおやけの場に姿をあらわすことはけっしてない。ボディーガードは二十年にわたって忠実につかえてきた男で、いつも近くにはべっている。旅をするときには、どの馬車にシュバーロフ伯爵が乗っているかわからないようにするため、いつも数台の馬車を同時に別々の方向に走らせるという手のこみようだ。なにしろツァーリのつぎに重要な男だから、それも当然のことだろう。われわれはこれまで何度も暗殺をこころみたが、すべて失敗におわっている。成功するためには、シュバーロフ伯爵が特定の時間と場所にいるように仕向けることがどうしても必要になる」

「シュバーロフ伯爵はあなたたちになにをしたというんです」

「あの男はわれわれのことを知っている。われわれを敵視し、われわれの行く手に立ちはだかろうとしている」

「あなたたちはいったい何者なんですか」

後ろから声が聞こえた。

「パラドール評議会よ」

その言葉にシャーロックは凍りついた。ふりかえると、ローラン夫人がこちらに向かって歩いてくる。ロシアの老女のように見える格好をしていて、口もとにはいつものやさしい笑みが浮かんでいる。だが、目にはこれまで見たことがない強く鋭い光がある。

「パラドール評議会?」

信頼していた者に裏切られたショックと恐怖に、シャーロックの声はうわずっていた。

「組織であり、クラブであり、同志の集まりよ。信条と言ってもいいし、領土を持たない国家と言ってもいい。そういったすべてのものをあわせたもの、いいえ、それ以上のものよ。わたしたちは世界がどこに向かうべきかを知っている。でも、実際はまちがった方向に進みはじめている。だから、それを変えようとしているのよ」

「じゃ、アメリカがアラスカを買う金の支払いをしぶっていて、スペインがそこに割ってはいろうとしているという話は、うそだったんですか」

ローラン夫人は笑った。

「いいえ、うそじゃないわ。みんな本当の話よ。でも、それはたいして重要なことじゃない。言ってみれば、罠にしかけられたエサのようなものよ。上手にうそをつくには、そのほとんどが真実であったほうがいい。つまり、本当の政治状況をエサにして、あなたのお兄さんを釣りあげたってわけ。ウォーマスリーさんの失踪ももちろんエサのひとつよ」

「でも、どうして？　どうして兄に目をつけたんです」

「ちょうどよかったのよ。年は若いけど、しっかりしていて、もうすでにイギリス政府の中枢にいる。そんなひとがシュバーロフ伯爵を殺したということになったら、どの国の政府もそれはイギリス政府が命じた犯罪だと思うはずよ。そうなったら、イギリスは世界中から爪はじきされる。イギリスの言うことはだれも聞かなくなる。イギリスの国際的な影響力は著しく低下する」

「それがねらいなんですね。シュバーロフ伯爵を暗殺することと同じくらい、それは大事なことなんですね」

「わたしたちはパラドール評議会なのよ。わたしたちがなにかをするときには、いつだって理由はひとつじゃない。どんな行動にも実際はいくつもの意味があるのよ。そのほうが合理的でしょ」

シャーロックはウォーマスリーのほうを向いた。

「でも、あなたは？　どうしてあなたは彼らの仲間になったんです？」

ウォーマスリーはローラン夫人に目をやった。ローラン夫人は小さくうなずき、答えてもいいという許可を与えた。

「わたしはあちこち旅してきた。どの国へ行っても、虐待や抑圧や暴行が政治や宗教という名のもとで行なわれていた。世界は混沌への道をたどりつつある。だからこそ、だれかがそれに異議を申したて、軌道修正をしてやらなくちゃならないんだ」

ウォーマスリーは遠くを見るような目をしている。以前おとずれた場所のことを思いだしているのだろう。口もとには、夢見るような笑みが浮かんでいる。

「世界国家というものを想像してみたまえ。アレクサンダー大王の時代以来、それは一度も実現されていない。わたしが生きているあいだに、実現することはおそらくないだろう。でも、そのいしずえを築くことはできる。パラドール評議会の下で働くことによって」

「じつを言うと、ウォーマスリーは日本の警察につかまり、監獄にいれられていたのよ」と、ローラン夫人は言った。「もう少しで拷問にかけられ、処刑されるところだった。それで、わたしたちが救いの手をさしのべたの。それ以降はずっとわたしたちのために働いてくれているわ」

シャーロックは顔をしかめた。

「ひとつだけわからないことがあります。兄はシュバーロフ伯爵のオフィスに連れていかれて、そこで話をすることになる。それからどうなるのか？　どうやってシュバーロフ伯爵を殺すのか？　どうやって兄に濡れ衣を着せるのか？　氷のナイフのトリックは使えません。シュバーロフ伯爵がそこで自殺をするわけがないですからね」

「たしかにあのトリックはここでは使えない。使えるとしたら、もう少し時間をおいて、別のところでということになるわね。今回は別のもっといい案があるのよ」

「もっといい案？　というと？」

「それはふたをあけてのお楽しみよ」

シャーロックは首をふった。

「どんなに緻密な計画を立てても、かならずしもその通りになるとはかぎりません。たしかに兄はここに来て、逮捕され、いまはシュバーロフ伯爵から尋問を受けようとしています。でも、どこかで計算が狂う可能性はあったはずです。たとえば、警察が兄を釈放しなかったり、兄がここに来るという決断をしなかったり。ロシア訪問は実名を使っての正式なものになっていたかもしれません。あるいは、シュバーロフ伯爵は別の者に兄の取り調べをまかせるかもしれない。独房のなかで尋問をうけるかもしれない。鎖が途中で途切れる可能性はつねにありました。すべてが計画どおりに進む確率はそんなに高くなかったはずです」

こんどはウォーマスリーが答えた。

「鎖と考えるからいけないんだよ。魚をとるための網と考えればいい。網はいくつもの結び目からできている。判断はその結び目ごとに下されるんだ。たとえば、マイクロフトがイギリスで逮捕されたあと、釈放されなかったとしよう。その場合は、しかるべき人物に金をわたして、警察がマイクロフトの身の潔白を裏づける証拠に行きつくように仕向けていただろう。きみとあの大柄なアメリカ人が割りこんできたのも、もちろん計算外だった。それで、臨機応変の策を講じたんだ。マイクロフトがきみを旅に連れていくと決めたときも、同様に計画の変更が必要になった。マイクロフトがエサに食いついてこず、モスクワに行く決断をしなかったら、またもう一芝居打たなきゃならなかっただろう。たとえば、わたしから助けを求める手紙を送るとか。いずれにせよ、これがダメならあれといった具合に、打つ手はいくらでもある。だから、いずれにしてもマイクロフトはモスクワに来ることになっていたんだよ。そうすれば、あとは簡単だ。皇帝官房第三部に密告すれば、マイクロフトはすぐに逮捕される」

ウォーマスリーはここでいったん話をおき、にやりと笑った。

「天才というのは、細部に無限の能力を発揮する者のことを言うんだよ。パラドール評議会には、そのような天才たちが大勢いて、目的の実現のために知恵をしぼっている。その結果がこれだ。シュバーロフ伯爵はきょうの午後三時にマイクロフトを自分のオフィスに連れてきて、そこで死ぬ」

シャーロックは絶望的な思いにかられた。自分は利口だと思っていた。でも、上には上がいる。連中の抜け目のなさには舌を巻くしかない。

「きょうの午後三時だとどうしてわかるんです」

この質問にはローラン夫人が答えた。

「シュバーロフ伯爵の予定を知ってるからよ。秘書のひとりを抱きこんであるの。きょうの午後三時まではクレムリンで打ちあわせがあり、三時半からはツァーリに謁見することになっている。でも、そのあいだはなんの予定もはいっていない。だから、マイクロフトがオフィスに呼ばれるのは、三時から三時半のあいだしかないってことになる。たとえきょうでなかったとしても、シュバーロフ伯爵の一週間の予定はすべて把握できている」

「ぼくはどうなるんです」

「そうね、あなたは知りすぎてしまったわ。ウォーマスリーに頼んで、ホテルの前で声をかけ、ここに連れてきてもらったのは、あなたがなにを知っていて、そこからなにを導きだすかをたしかめたかったからよ。これでよくわかったわ。あなたは知りすぎている。あなたはマイクロフトと同じくらい頭がいい。モーペルチュイ男爵から話は聞いていたけど、ここまでだとは思わなかったわ。だから、あなたには死んでもらわなきゃならない。田舎へ連れていって殺せば、あとかたづけはクマやオオカミがやってくれる」

全身に震(ふる)えが来た。まわりを見まわしたが、逃(に)げ道はない。完全に取り囲まれている。逃(に)げようとしたら、一瞬(いっしゅん)のうちにとりおさえられてしまうだろう。

自分だけではない。兄さんはどうなるのか。殺人の罪を着せられようとしているのはこれで二度目だ。こんどは無実を証明してくれる者はだれもいない。

イギリスとロシアのあいだで戦争がはじまるかもしれない。これだけの外交上の大事件が起きたら、歴史が変わる可能性は十分にある。だが、それこそがパラドール評議会が望んでいることなのだ。

ローラン夫人が後ろを向いて、そこにいたファーネスに命じた。

「この子を連れていきなさい。死体はぜったいに見つからないように。わかったわね」

マルビンがローラン夫人のわきにやってきた。手に木の箱を持っている。箱の上にはいくつもの穴があいている。それはいったいなんなのか。

ローラン夫人は箱を指さして、ウォーマスリーに命じた。

「これを持っていきなさい。くれぐれも気をつけてね。いいこと。時間は三時ちょうどよ」

それから、シャーロックのほうを向いた。

「わかってちょうだい。これは個人的な問題じゃないのよ。あなたにはなんの恨みもない。もちろん、モーペルチュイ男爵とのあいだにあったことを根に持っているわけでもない。あなたは道路に転がっている大きな石のようなものよ。片づけてしまわないと、歴史という荷馬車は前に進めない」

ウォーマスリーは立ちあがった。

「用意は万端ととのった。さあ、行こう」

そのとき、外の階段に面したガラスが割れる音がした。びっくりして、そっちのほうを見ると、テラスは炎に包まれていた。

⚜

15

⚜

あっという間に店内に黒い煙が満ちた。

ウォーマスリーが悪態をついて肩につかみかかってきたので、シャーロックはすばやく身を引いてかわした。その勢いで、すわっていた椅子が後ろに倒れ、床に引っくりかえる。近くにだれもいないテーブルがあったので、腹ばいでその下に逃げこんだとき、あちこちでテーブルや椅子が床に倒れる音がした。とつぜんの火災に劇団員たちが驚いていっせいに席を立ったのだ。

「逃がしちゃだめよ!」と、ローラン夫人が叫んだ。「だれかシャーロックをつかまえて!」

火はカフェの木のドアに燃え移っている。ガラスが熱で割れはじめる。ドアの近くのテーブルにも火がつきかけている。

だれかに腕をつかまれ、店の奥のほうに引っぱられた。抵抗しようとすると、アイルランドなまりの声が聞こえた。

「どうだい、わたしほど頼りになる人間はいないだろ」

ルーファス・ストーンだ！

ストーンが向かったのは、奥の壁ぎわのカウンターの後ろだった。劇団員のひとりがそれに気づいて、追いかけてくるのがわかった。どうやらマルビンのようだ。

カウンターの後ろで、シャーロックは頭をおさえつけられ、床にしゃがみこんだ。そこに小さなドアがあった。ストーンはそれをあけて、その向こうの部屋にシャーロックを押しこみ、自分もなかにはいると、すぐにドアを閉めた。

そこは貯蔵庫のようだった。壁ぎわに、小麦粉の大きな袋や紅茶の木箱が置かれている。シャーロックはストーンといっしょにそれをドアの前に積みあげはじめた。煙に目がしくしくする。

「教えてください。どうやって火をつけたんです」

「簡単なことだ。近くに紅茶売りの男がいて、アルコールでサモワールをあたためていたんだ」

「サモワール？」

「湯をわかすための容器のことだよ。それで、そのアルコールを失敬して、テラスにまき、そこに火をつけた紙を落としたんだ。火は一瞬のうちに燃えひろがった。われながら、とっさによく思いついたものだと感心するよ」

ストーンはシャーロックを貯蔵庫の奥へ連れていった。そこには裏庭へつづく石段があった。

「どうしてぼくの居場所がわかったのですか」

「スラビヤンスキー・バザール・ホテルに行ったら、きみのお兄さんが警察に連行されていくところだった。見ていると、こんどはきみが見知らぬ男に呼びとめられた。それで気になって、あとをつけたんだよ。ここに来てからは、窓ごしにずっと話を聞いていた」

「話の一部始終を聞いたってことですか」

「もちろん」

裏庭は建物のあいだの路地へ通じていた。ストーンはその路地を右にまがって、足早に歩きはじめた。シャーロックは小走りになって、そのあとを追った。

「これから、どうすればいいんでしょう」

「イギリス大使館へ助けを求めにいくしかないだろうね」

シャーロックは立ちどまった。

「ほかに方法はないんですか。ぼくたちの手でなんとかできないんですか」

「いいかい、シャーロック。これはとてもわれわれの手に負える事態じゃない。外交官はこういうときのためにいるんだ。カクテル・パーティだけが彼（かれ）らの仕事じゃない。うまくいけば、パラドール評議会の連中が計画を実行に移すまえに、シュバーロフ伯爵（はくしゃく）に連絡（れんらく）をとることができるかもしれない。もちろん、連中がカフェから逃（に）げだすことができなければ、計画が実行に移されることはないんだがね」

「計画を実行に移す者は別にいます。たとえばカイトさんとか。カイトさんはカフェにいませんでした」

ストーンはじっとシャーロックを見つめた。

「きみのその表情はまえにも見たことがある。いったんこうと決めたら、きみはけっしてあとには引かない」

照れくさくなって、シャーロックは肩（かた）をすくめた。

「そういう血筋なんです」

ストーンはため息をついた。

「しかたがない。じゃ、とにかくシュバーロフ伯爵（はくしゃく）のオフィスがある建物の前まで行ってみよう。警備員にメモをわたすぐらいのことはできるかもしれない」

「場所を知っているのですか」

「ルビヤンカ広場と言ってね。モスクワではよく知られた場所だ」

ストーンは懐中時計に目をやった。

「あまり時間がない。ウォーマスリーが言ったとおりだとすると、きみのお兄さんはあと二十分ほどでシュバーロフ伯爵のオフィスに連れていかれることになる」

シャーロックはまわりを見まわした。

「辻馬車が見あたりません」

「辻馬車を待っているより走っていったほうがはやい。路地をぬけていこう」

ストーンはいきなり走りだし、生まれたときからモスクワに住んでいたかのように路地や横道をぬけていった。シャーロックは置いていかれないよう必死であとを追わねばならなかった。

色とりどりの建物があらわれては後ろに消えていく。通行人はあわてて道をあけ、ふたりと目をあわせないようにしている。ムクドリとスズメの群れがびっくりして飛びたつ。空気は痛いほど冷たいのに、あたたかい汗が胸や背中を流れおちていく。風のなかを雪が舞っていて、顔がちくちくする。雪の結晶に肌を切り刻まれているような気がする。

そこからの連想で、カイトの顔を思いだした。目のまわりや頬や鼻には、いくつもの小さな傷ができていた。あれはなんの傷なのか。どうだっていいことかもしれないが、なんとなく気になる。

胸の鼓動(こどう)は足音と重なっている。短距離(きょり)走なら、全速力で一気に走れば、すぐにゴールにたどりつく。だが、これは永遠につづく心臓破りのマラソンだ。一歩ごとに、足から衝撃(しょうげき)が伝わってくる。体じゅうから骨がきしむような音が聞こえてくる。

路面には雪が積もっている。馬車や荷馬車をよけながら通りを横切っていたとき、凍(こお)った雪に足がすべって、後ろ向きに倒(たお)れそうになった。体のバランスをとるために手をばたつかせ、よろよろしているところへ、厚着の女性が通りがかったので、そこによりかかり、それでなんとか転ばずにすんだ。

「すみません！」と、シャーロックは前を向いたまま言った。

ストーンはずっと先を走っている。急がなきゃ。

しばらく行ったところで、ストーンは速度を落とし、路地のはずれで立ちどまった。シャーロックはその横に行って、ひざに両手をつき、深く息を吸いこんだ。肺が燃えているのではないかと思うほど熱い。ストーンも近くの壁(かべ)に寄りかかって、息をはずませている。

一分ほどして、ようやく会話ができるようになった。

ストーンはあごをしゃくって、通りの向こうにある建物をさし示した。

「ここがルビヤンカ広場で、あれが皇帝官房(こうていかんぼう)第三部の本部だ」

シャーロックは建物を見あげた。

まるで要塞だ。窓は小さく、そのすべてに鉄格子がはまっている。赤い石づくりの壁に、足場になるようなものはなにもない。建物のすみには小塔があり、そこから怪しい者を狙い撃ちにできるようになっている。

通りの反対側の歩道ぞいには、何台もの馬車や辻馬車がとまっている。そこで建物から出てくる政府の役人や高官を待っているのだ。

「シュバーロフ伯爵のオフィスはどこにあるんでしょう」と、シャーロックは息を切らせながら聞いた。

「指さすわけにはいかない。ここまで走ってきただけで十分に目立っているんだ。建物の左側にある塔を見たまえ。そこから、屋根ぞいに少し行ったところに、ほかよりも大きい、少し前に突きでた窓がある。そこだ。壁に足をかけるところはないから、下からも上からも横からもそこに近づくことはできない。窓にはほかより太い鉄格子がついている。まわりに同じような高さの建物はないから、なかにいる者を見て銃のねらいをつけることもできない。それだけじゃない。シュバーロフ伯爵のオフィスへ行くためには、六つのチェックポイントを通過しなければならない。オフィスのドアの前には、選りすぐりの衛兵がいる。連中がどんな暗殺計画を立てているのか、まったく見当もつかない」

シャーロックはシュバーロフ伯爵のオフィスの窓に目をこらした。懐中時計を見ると、もうすぐ三時だ。ローラン夫人の言ったとおりだとすると、兄はいままさにあの部屋に向かっているところだ。

なんとかしなければならない。だが、なにをしたらいいのか。まわりにそれを知るためのヒントが隠されていないだろうか。

そのとき、ふと気がついた。

「鳥がいません」

「えっ?」

「鳥がいないんです。この街には、鳥がたくさんいます。ムクドリとかスズメとか。でも、ここには一羽もいません。どこへ行ってしまったのか」

ストーンはまわりを見まわした。

「たしかにそのとおりだ。でも、それはどういうことなんだろう」

「小鳥をこわがらせるものはなんでしょう」

ストーンは肩をすくめた。

「ネコ?」

「ネコのほかには? 鳥です。ムクドリとかスズメより大きな鳥です」

ストーンは眉を寄せ、それから目を大きく見開いた。

「なるほど。ロンドンの博物館できみたちがハヤブサに襲われたという話は聞いている。それだったんだな。連中はハヤブサを使おうとしているんだな」

「あの部屋の窓を見てください。あなたがさっきおっしゃったとおり、あそこには外からも内からも近づけません。でも、鳥なら飛んでいけます。鉄格子も通りぬけることができます」

「でも、そのあとは？　鳥はナイフも拳銃も使えない」

「博物館で襲われたとき、ハヤブサの足には鋭い金属の刃がとりつけられていました。あの部屋にはいま兄さんとシュバーロフ伯爵のふたりしかいないはずです。そこへハヤブサが飛んでいって、シュバーロフ伯爵に襲いかかる。刃が喉を切り裂いたら、あとは窓から飛びさればいいだけです。どこへ行って、だれを襲えばいいかという訓練は当然できているはずです。衛兵が悲鳴を聞きつけて部屋に飛びこんできたとき、そこにいるのは、喉から血を流して倒れているシュバーロフ伯爵と、その横に突っ立っている兄だけです。部屋にはいってきた者もいなければ、部屋から出ていった者もいません」

「だけど、きみのお兄さんは凶器を持っていない」

「そんなことは問題にならないと思います。犯人がほかにいるということは考えられません。凶器は窓から捨てたんだろうということになるはずです」

「でも、もし窓が閉まっていたとすれば、ハヤブサは……」

「投石器を使って窓を割ればいい。それも兄のしわざだということになるでしょう。連中のやることに、ぬかりはありません」

そのとき、ふと思いだした。上着のポケットに手を突っこむと、ディオゲネス・クラブから持ってきた小さなガラスの瓶といっしょに、たしかにそこにはいっていた。モスクワへ向かう列車のなかで見つけたネズミの死骸だ。いままですっかり忘れていた。

シャーロックはそれをポケットからとりだした。

「ハヤブサのエサです。モスクワに来る途中の列車のなかで見つけたんです。カイトさんの個室のドアの前に落ちていました。つまりカイトさんがハヤブサを飼い、エサを与えていたということです」

ストーンはまた周囲を見まわした。

「きみの言うとおりだとすると、そのハヤブサはどこから飛びたつのだろう」

「どこかこの近くでしょうね。どこかの建物の屋上か、空いている部屋。でなかったら、この通りのどこかかも……」

シャーロックはまわりを見まわした。通りの反対側に黒い馬車がとまっている。とりたてて変わったところはないが、なぜか気になる。御者の体は大きく、マフラーから赤いあごひげがはみでている。

「あれです。あの馬車です」

ストーンはシャーロックの視線をたどった。

「カイトだな」

「そう思います」

「きみの言うとおりだとすると、馬車のなかにはウォーマスリーとハヤブサがいるということになる。皇帝官房第三部の受付へ行って、シュバーロフ伯爵あてに警告のメッセージをわたそう」

「それじゃ間にあいません」

馬車を見ると、建物に面している側の窓が少し開いている。

そこからなにかが見える。茶色い羽の鳥だ。ウォーマスリーとおぼしき男の腕にとまっている。ロンドンの博物館で襲いかかってきたハヤブサかどうかはわからない。だが、危険な鳥であるのはたしかだ。

口笛が聞こえた。博物館で聞いたのと同じように、三つの音が使われている。

「Aのフラット、E、Gだ」と、ストーンは言った。

ハヤブサは馬車の窓から勢いよく飛びだし、翼をはばたかせて空に舞いあがった。そこで一瞬まわりの様子をうかがい、それからまた翼をはばたかせ、さらに高度をあげた。陽光が足にとりつけられた金属の刃に反射して、きらきら光っている。

馬車のなかから、さっきとちがう音の口笛が聞こえた。ハヤブサがほんの少し左に進路を変える。口笛で誘導しているのだ。おそらく似たような建物を使って訓練をしたのだろう。ハヤブサはシュバーロフ伯爵のオフィスの窓に向かっていく。

「もうだめだ」と、ストーンは言った。

「いいえ、そんなことはありません」

自分でも驚くほどの強い口調だった。

左手を前にのばし、右手を後ろに大きく引き、クリケットのボールのようにネズミの死骸を放り投げる。

ネズミの死骸が空中で弧を描く。

シャーロックはさっき聞いた音をまねて口笛を吹いた。

ハヤブサが首をまわす。そのときに、地面に落ちていくネズミの死骸を見たにちがいない。身をひるがえして、二度翼をはばたかせる。それから翼をたたんで、弾丸のような速度で急降下をはじめる。

その軌道がネズミの死骸が落下する軌道と交差する。ハヤブサがくちばしを開き、そして閉じる。と、もうそこにネズミの姿はなかった。ハヤブサに丸飲みされたのだ。

馬車のなかからまた口笛が聞こえた。だが、ハヤブサはもう言うことを聞こうとしない。頭のなかには食べ物のことしかないのだろう。大きなカーブを描いて方向を変えると、馬車のほうにもどってきはじめた。そのなかに、エサがあるということだ。それはウォーマスリーがカフェで受けとった木の箱のなかにはいっているのだろう。

馬車の窓の向こうの暗がりには、苦々しげにゆがんだウォーマスリーの顔が幽霊のように浮かびあがっている。

このとき、はたと思いあたった。博物館で聞いた口笛を再現できれば、ハヤブサに攻撃を命じることができる。それはどんな音だったか。

記憶をたどりながらまた口笛を吹く。

ハヤブサは馬車にもどって飼い主の腕にとまろうとしていたにちがいない。だが、シャーロックの口笛を聞くと、急に足をのばして凶器を突きだした。

馬車のなかに飛びこみ、ウォーマスリーに襲いかかる。

馬車のなかから悲鳴があがる。馬車が揺れる。そのなかでなにが起きているかを想像するのはむずかしくない。

御者台のカイトが困惑顔で後ろをふりかえる。馬がびっくりして後ろ足で立ちあがる。

シャーロックはストーンに向かって叫んだ。

「行きましょう！　ふたりをつかまえなきゃ！」

「でも――」

「急いで！」

ふたりを逃がすわけにはいかない。彼らのせいで、多くのひとが命をおとすところだったのだ。ウォーマスリーを馬車から引きずりおろして、シュバーロフ伯爵のところへ連れていき、なにをしようとしていたのかを話させなければならない。

ストーンはカイトのほうへ走りだし、シャーロックは馬車の手前の扉をめざして走りだした。

そこまで行ったとき、扉がいきなり開いて、シャーロックは後ろにはじきとばされた。

ウォーマスリーが馬車から飛びだしてきて、両手でハヤブサをつかみ、シャーロックのほうに投げつけた。顔もシャツも血まみれになっている。額にはくちばしのあとがあり、喉にはいくつもの切り傷ができている。

ハヤブサは翼をばたつかせて空へ舞いあがった。人間に支配されることを拒否し、これからは自由に生きることを選んだということだろう。

ウォーマスリーは服のそでで顔をぬぐい、そのために血が顔全体に広がった。その目には怒りが煮えたぎっている。

「よくもじゃまをしてくれたな。何年もかけて立てた計画だったのに。すべてが一瞬にして水の泡だ」

ウォーマスリーが襲いかかってくると思い、シャーロックは身がまえた。

「あきらめたほうがいい。もうおしまいです」

「そんなことはないさ」

ウォーマスリーは後ろに手をのばして、馬車のなかからなにかをとりだした。丸い輪っかのように見えるものだが、手を一振りすると、ほどけて地面の上にひろがった。

それはムチだった。だが、いままで見たどんなムチともちがう。モーペルチュイ男爵の手下が持っていたムチともちがう。編みこんだ金属でできていて、先端に鋭くとがった金属の爪がついている。

「ロシアのムチ打ちの刑の話を覚えてるな。それがどういうものか教えてやるよ」

ウォーマスリーはいきなりムチをふった。鉄の爪がシュッという音をたてて風を切る。

その瞬間シャーロックはすばやく横に飛びのいたので、鉄の爪は耳もとをかすめただけだった。だが、ムチが引かれると、その拍子に鉄の爪が上着にひっかかった。

体を引っぱられて、よろけ、雪におおわれた地面に四つんばいになる。

ウォーマスリーはその後ろにまわって、シャーロックの喉にムチを巻きつけた。

ムチがしめつけられ、息ができなくなる。視界が赤くなる。空気の流れは、首に食いこんだムチによって遮断されている。指をねじこむためのすきまもない。

目にかかった赤いもやが黒くなっていく。光も音もぼやけていく。

右足を後ろに蹴りだしたが、ウォーマスリーはすばやくあとずさりし、前かがみになって、さらにムチを強くしめつけた。シャーロックの耳に顔を近づけて言う。

「死ね！　死にやがれ！」

体を起こすために地面に手をつこうとしたとき、その手が上着のポケットにあたった。なにか固いものがはいっている。ディオゲネス・クラブから持ってきたガラスの瓶だ。そのなかには、兄の意識を失わせた液体がほんの少しだが残っている。

目の前はぼやけ、耳には血管が脈打つ音しか聞こえない。

最後の力をふりしぼって、ポケットから瓶をとりだす。親指でバネがついたボタンをさぐりあてる。吹きだし口がどっちを向いているのかわからないが、とにかく瓶を頭の上にあげ、ボタンを押す。

後ろであえぎ声が聞こえ、ムチをしめつける力がゆるんだ。
肺に空気がどっと流れこむ。シャーロックは前のめりに倒れ、だがすぐにあおむけになって、両手をあげ、ウォーマスリーの攻撃にそなえた。
赤いもやが晴れていく。ウォーマスリーは動かない。目はうつろで、顔はこわばっている。

シャーロックは目を閉じ、雪の上に頭を横たえた。

そのとき、だれかに頭を持ちあげられた。一瞬、カイトかと思ったが、どうやらそうではなさそうだ。別の手がムチを首からほどいている。首をまわして見ると、そこには青と灰色の軍服姿の兵士たちの姿があった。

ひとりの兵士が体を支え、もうひとりの兵士が首からムチをとっている。

ウォーマスリーは三人目の兵士にとりおさえられている。顔は腫れあがり、血まみれになり、だれなのか見わけがつかないくらいになっている。

馬車の向こうから、ルーファス・ストーンが四人目の兵士に連れられてやってきた。上着のそでが切り裂かれていて、そこから血が流れている。

カイトの姿はない。

それからの数分は記憶がぼやけている。

ストーンといっしょに建物のなかに連れていかれたことは覚えている。押されたり、引きずられたりしながら、暗い廊下を進み、階段をのぼっているうちに、自分が建物のどのあたりにいるかわからなくなったことも覚えている。

衛兵のわきをぬけて最後にはいった部屋に、ふたりの男がいた。

ひとりは軍服を着ていた。だが、その胸には数多くの勲章が飾られていて、上からマントをはおっている。年は四十代。髪は灰色で、短く刈りこまれている。両はしが上にピンとはねた口ひげをはやしている。

もうひとりは二十代で、黒いスーツと、縞柄のチョッキを着ている。

「紹介しよう、シャーロック」と、マイクロフトは穏やかな口調で言った。「こちらはピョートル・アンドレーエビッチ・シュバーロフ伯爵だ。ご紹介させてください、伯爵。こちらは弟のシャーロックです」

シュバーロフ伯爵はシャーロックを見つめ、それからまたマイクロフトのほうを向いて、流暢な英語で言った。

「なるほど、どうやら弟さんはお父上の血を受けついだようですね」

16

まわりはしんと静まりかえっている。だから、マイクロフトはそこで食事をとることにしたのだろう。ディオゲネス・クラブの応接室なら、他人に話を聞かれる心配はない。テーブルの片側にはマイクロフト、その左にはシャーロック、右にはエイミアス・クロウ、向かいにはルーファス・ストーンがすわっている。

シャーロックは部屋を見まわした。

すべてがここからはじまったのだ。なぜか遠いむかしのことのように感じられる。哀(あわ)れな男は自分の家族にわずかな金を残すためにパラドール評議会の陰謀(いんぼう)に手を貸し、ここでみずからの命を絶った。だが、絨毯(じゅうたん)に血のあとは残っていない。きれいに掃除(そうじ)をしたか、絨毯(じゅうたん)を張りかえるかしたのだろう。

マイクロフトとクロウがそこでしていた話によると、アメリカ政府はようやくアラスカを購入(こうにゅう)するための代金を支払(しはら)ったらしい。

シャーロックは食卓(しょくたく)に視線を移した。黒服のウェイターたちがスープ皿を静かにテーブルに運んでいる。

クロウは赤いスープをいぶかしげな目つきで見ながら言った。

「これは本当に人間が食べるものなんだろうか。牛の血とミルクをまぜたもののように見える」

「これはボルシチという料理です」と、マイクロフトは答えた。「ビートのスープにスメタナと呼ばれるサワー・クリームをかけてあるんです。われわれの旅の思い出をあなたと分かちあいたいと思いましてね。料理長に無理を言ってつくってもらったんです。実際のところ、むずかしい注文だったと思います。なにしろ、ブラウン・ウィンザー・スープ以外のスープをつくったことはないとのことでしたから。それでも、果敢(かかん)に挑戦(ちょうせん)してくれました」

ストーンは右腕(みぎうで)の傷の上に手をやり、腹立たしげに言った。

「ところで、カイトはどうなったんだろう。なにか聞いていないかい」

マイクロフトは残念そうに首をふった。

「いいえ、なにも聞いていません。どこかに姿をくらましてしまったんです。パラドール評議会がどこまで寛容(かんよう)であるかにもよるでしょうが、もしかしたら彼(かれ)らにかくまわれているのかもしれません」

「ほかの劇団員はどうなったの？」と、シャーロックは聞いた。

「カイトと同じだ。どこに行ったかわからない。あれだけ近くにいながら気づかなかったとは、情けないよ。殺人犯に仕立てあげられ、短期間だが警察に身柄を拘束されていたので、動転し、頭が働かなくなってしまったんだろう。本当なら、あの劇団はおかしいともっと早く気がつかなきゃいけなかったんだ。あの時点で、それは罠だと気がつかなきゃいけなかったんだ」

「それで、ウォーマスリーは？」

「その質問には答えられる。シュバーロフ伯爵はわれわれの身柄引きわたしの要求に応じようとしない。いまはルビヤンカ広場の獄につながれている。皮肉な話だ。そもそもわれわれがモスクワに行くことになったのは、ウォーマスリーが秘密警察につかまったと思ったからだからね。あの男はすっかり変わってしまった。以前はあんなふうじゃなかった。おそらく世界中を旅したせいだろう。だから、ぼくはできるかぎり旅をしないようにしているんだ」

クロウはいぶかしげにスープを見つめ、おそるおそるスプーンでかきまわしはじめた。

「わたしが驚いているのは、シュバーロフ伯爵がきみの話をすんなりと信じたことだ」

「それも皮肉な話です。シュバーロフ伯爵とのあいだに、このような信頼関係が築けるとは思っていませんでした。信頼していたウォーマスリーに裏切られたのとは正反対です。ぼくたちはおたがいをよく理解しあっています。似たものどうしなのかもしれません。ぼくが逮捕されたという話を聞くと、シュバーロフ伯爵はすぐに使いをよこし、それで紅茶を飲みながらの和気あいあいとした話しあいになったんです。シュバーロフ伯爵は秘密警察の非礼をわび、ぼくは身分をいつわってロシアにはいったことをわびました。国際的な交渉というのはみなこうあるべきでしょう。礼儀正しく、友好的に。ハヤブサを使ったりするのではなく」

「それにしても、こんな突拍子もない話をよく信じてもらえたものだね」

「シャーロックの説明を聞けば、信じないわけにはいかないでしょう。証拠もあります。足に凶器をつけたハヤブサが馬車のなかに飛びこんでいくのを見た者や、ルビヤンカ広場でシャーロックがウォーマスリーと争っているのを見た者は大勢います。シュバーロフ伯爵はぼくがロンドンで殺人の罪に問われたことを知っていました。ロシアにイギリスの情報員がいるのと同じように、イギリスにはロシアの情報員が何人もいます。そのなかに、パラドール評議会の手先となって動いている者はいないはずです。そういう意味でもわれわれは大きく遅れをとっています。いまイギリスとロシアのあいだで行なわれているゲームにも、その影響が出るかもしれません」

「ゲーム？　ゲームって？」と、シャーロックは聞いた。

「中央アジアをめぐる覇権争いのことだよ。たとえば、アフガニスタンとか、インドとか。それをわれわれは〝大いなるゲーム〟と呼んでいる」

「父さんはいまインドにいるんだよ。インドで戦っているんだよ。それをゲームと呼ぶのは父さんに対して失礼だと思うよ」

「たしかにそうだ。ゲームじゃない。もちろん、大いなるゲームでもない。ロンドンにいて、快適なひじかけ椅子にすわっていると、現実が見えなくなってくる。ぼくがロシアに行って学んだことがあるとすれば、まさにそのことだろう。ぼくたちがチェスボードの上で動かしているのは、血のかよった生身の人間なんだ。このことはしっかりと肝に銘じておかなければならない……そうそう、インドと言えば、父さんからの手紙をまだ見せてなかったね。そもそもおまえがここに来たのはそのためだったんだ。あとで見せるよ」

エイミアス・クロウは湿っぽい話にしたくないと思ったらしく、ここで咳ばらいをした。

「さて、これからのことだが、みんなどうするつもりなんだね。わたしは娘と親子水いらずでしばらくすごそうと思っている」

「ぼくには自宅と職場の往復の日々が待っています」と、マイクロフトは言った。

「ぼくはホームズ荘にもどります。おじさんとおばさんと、やさしいエグランタインさんが待っているので」

そう言ったとき、シャーロックはファーナム駅のそばの路地に消えていった黒い服の女性のことを思いだした。

あのときは、エグランタインさんではないかと思った。もちろん、ちがう可能性はある。あれはローラン夫人で、マイクロフトに弟がいることを知って、計画を実行に移すまえに下調べにきていたのかもしれない。

けれども、やはりエグランタインさんの可能性は高い。

ホームズ荘にもどったら、少しさぐりをいれてみよう。もしかしたら、エグランタインさんがホームズ荘で幅をきかせている理由がわかるかもしれない。

思案はマイクロフトの言葉によって中断させられた。

「あなたはどうするんです、ストーンさん」

ストーンはにこっと笑って、シャーロックのほうを向いた。ロウソクの明かりに金歯がきらきら光っている。

「きみはバイオリンを買ったと言ってたね。ぜひその音を聞いてみたい。週二回。それぞれ一時間ずつ。火曜日と木曜日ということでどうだろう」

シャーロックは答えた。
「よろしくお願いします」

（了）

本書は、二〇一三年六月に静山社より刊行したものの児童版です。

著者　**アンドリュー・レーン**

作家であり、ジャーナリスト。そして、根っからのシャーロック・ホームズ・ファン。イギリス、ハンプシャー州在住。アーサー・コナン・ドイルの著作に対する愛情と、10代のシャーロック・ホームズを描きたいという思いから、コナン・ドイル財団の協力を得て本シリーズを執筆。世界一有名な探偵をふたたび世に送りだした。

訳者　**田村義進**（たむらよしのぶ）

文芸翻訳家。1950年、大阪市生まれ。訳書に『アンダーワールドUSA』『復讐はお好き?』『獣どもの街』（以上文藝春秋）、『最終弁護』『聞いてないとは言わせない』『メソポタミヤの殺人』（以上早川書房）など多数。

〔児童版〕ヤング・シャーロック・ホームズ3
雪の罠（ゆきのわな）

2024年2月20日　初版発行

作者　アンドリュー・レーン
訳者　田村義進

発行者　吉川廣通
発行元　株式会社静山社
〒102-0073 東京都千代田区九段北1-15-15
電話・営業 03-5210-7221
https://www.sayzansha.com

発売元　株式会社ほるぷ出版
〒102-0073 東京都千代田区九段北1-15-15
電話・営業 03-6261-6691
https://www.holp-pub.co.jp

カバーイラスト　禅之助
カバーデザイン　岡本歌織（next door design）
印刷・製本　中央精版印刷株式会社

ISBN 978-4-593-10470-3　Printed in Japan

十年屋

時の魔法はいかがでしょう?

廣嶋玲子 作　佐竹美保 絵

おかげさまで大好評!
魔法使いと執事猫の、心あたたまる
不思議なお店の物語

他人から見たらガラクタでも、自分にとっては絶対になくしたくない、捨てられない。そんな大切なものを、十年間、魔法で預かってくれる不思議なお店「十年屋」。魔法使いと執事猫のカラシのもとに、今日はどんなお客さんがやってくるでしょう。

十年屋2

あなたに時をあげましょう

廣嶋玲子 作　佐竹美保 絵

十年屋のお店がある通りのはずれに、
新しい魔法使いがやってきて……
魔法街は今日も大にぎわいです

魔法使いと執事猫の不思議なお店「十年屋」は、招待状が届いたひとにしか見つけられません。青い霧がたちこめた、誰もいない通りにあるといううわさですが、実は、そこにはさまざまな能力をもった魔法使いたちがいろんなお店をかまえているのです。

十年屋3

時にはお断りもいたします

廣嶋玲子 作　佐竹美保 絵

ドキドキもハラハラもうるうるも
どこから読んでも楽しめる！
大人気シリーズ第3巻

雪だるまだって、飴玉だって（猫だって）、大切なものならどんなものでも、時の魔法で十年間預かりましょう、というのが「十年屋」の契約だけど……中には思いがけない依頼もあるものです。十年屋がお断りしたものって、いったいなんでしょう？